Belser Kunstbibliothek

Die Meisterwerke aus der Skulpturengalerie Berlin
Staatliche Museen
Preußischer Kulturbesitz

Belser Verlag Stuttgart und Zürich

Verfasser der Texte zu den Abbildungen:

Peter Bloch

Fotos:

Jörg P. Anders, Berlin: S. 8

Umschlaggestaltung:

Christian Ahlers

© 1980 by Belser AG
für Verlagsgeschäfte & Co. KG,
Stuttgart und Zürich
Adresse: Belser Verlag,
Falkertstraße 73, D-7000 Stuttgart 1
Alle Rechte vorbehalten
Gesamtherstellung: Druckhaus Tempelhof, Berlin
Gedruckt auf 120 g/qm h'frei weiß ‚Ikonofix'
der Papierfabrik Zanders, Bergisch-Gladbach
Printed in Germany
ISBN 3-7630-2005-5

Vorwort

„Der Zweck des Museums ist offenbar die Beförderung der Kunst, die Verbreitung des Geschmackes derselben und die Gewährung ihres Genusses. Es sind die großen und sich natürlich zuerst darbietenden Gegenstände, an welche sich das Gefühl zunächst wendet und an denen es sich, frei von aller Gelehrsamkeit und selbst noch von tieferen Studien, prüfen kann." Mit diesen Worten erläutert Wilhelm von Humboldt seinem König die Gründe für die Errichtung eines ersten öffentlichen Museums in Preußen, das in Friedrich Schinkels berühmtestem Bauwerk, dem „Alten Museum", am 3. August 1830 eröffnet wurde. Seither haben sich die ehemals Königlichen, dann Staatlichen Museen Preußens in Berlin, die im Westen dieser Stadt nach dem zweiten Weltkrieg als „Staatliche Museen Preußischer Kulturbesitz" fortleben, zu Sammlungen und Forschungsinstituten von internationalem Rang entwickelt.

Der Organismus der vierzehn Staatlichen Museen und ihrer naturwissenschaftlichen und museumskundlichen Forschungsinstitute war und ist in seiner Art einzigartig in der Welt. Es gibt noch qualitätvollere, noch umfangreichere Sammlungen, aber keinen zweiten Museumskomplex, der von allem Anfang an als „öffentliche, gut gewählte Kunstsammlung" (Friedrich Wilhelm III., 1810) geplant war, nicht allein als fürstliche Gemäldegalerie, Antikensammlung, Ethnographisches Kabinett oder Schatzkammer des Kunstgewerbes. In den Berliner Museen sind Kunst und Kultur der ganzen Welt zu Hause.

Deutlicher als bei allen anderen großen deutschen Museen spiegelt die Geschichte der preußischen Sammlungen in Berlin auch das Schicksal unserer Nation in den letzten anderthalb Jahrhunderten:

als Königliche Preußische Museen gegründet, im Kaiserreich, in der Weimarer Republik und bis zum Ende des zweiten Weltkrieges dann „heimliche" Nationalmuseen und nach der Teilung Deutschlands Neubeginn und Wiederaufbau in der Verantwortung der Stiftung Preußischer Kulturbesitz, getragen vom Bund, Berlin und allen übrigen deutschen Ländern im Westen, als Staatsinstitute der DDR im Osten der ehemaligen Hauptstadt.

Lange vor 1830 hatten die Gründer das planmäßige Sammeln mit dem Grundsatz begonnen, außer den künstlerischen auch wissenschaftlich-historische und pädagogische Ziele zu verfolgen. Meisterwerke aus der Kunst- und Kulturgeschichte der Welt sollten als Vorbilder für Menschenbildung im Geist des Humanismus allen Bürgern zugänglich und in den Sammlungsverzeichnissen dokumentiert und publiziert werden. Forschung und Lehre waren gefordert. In den hundertfünfzig Jahren lebhafter und wechselvoller Geschichte seit der Gründung des ersten „öffentlichen Museums" in Preußen haben diese Vorsätze nicht an Aktualität verloren. Deshalb gilt es für die Staatlichen Museen, gerade im Jubiläumsjahr, Rechenschaft abzulegen und Tradition als Aufgabe auszuweisen. In Form dieser Buchreihe soll eine weitere Selbstdarstellung der Museen an die Öffentlichkeit gelangen. Der vorliegende Band ist Teil davon, das Museum, welches sich vorstellt, ein in sich selbständiges Glied der Staatlichen Museen Preußischer Kulturbesitz.

Stephan Waetzoldt
Generaldirektor der
Staatliche Museen
Preußischer Kulturbesitz

5

Einführung

Bildende Kunst des Mittelalters diente in der Regel liturgischem Gebrauch oder der Verkündigung der Heilsgeschichte. Die Wertschätzung eines „Kunstwerkes" beruhte auf seiner Funktion, in der Kostbarkeit der von ihm umschlossenen Reliquie und des verwendeten Materials, in der Überzeugungskraft seiner Aussage. Erst mit der Renaissance gewann auch die Kunstfertigkeit eines Werkes ihren eigenen Stellenwert, konnte unabhängig vom Gerätecharakter in ihrer artifiziellen Machart gewürdigt werden. Aus Benediktinermönchen oder zunftgebundenen Handwerkern wurden bildende Künstler, die dem vorgegebenen Stoff seine unverwechselbare Gestalt gaben. Kunstsinn und Kunstverstand gehörten nun zum Kennzeichen eines Mannes von Welt. Kunstwerke wurden gesammelt. So stellte der Bildhauer Gregor van der Schardt um 1570 den Nürnberger Patrizier Willibald Imhoff nicht als frommen Beter oder reichen Kaufmann dar, sondern als Antiquar, der ein Stück seiner Sammlung in den Händen hält und dieses kritisch prüft (vgl. Kat. Nr. 41). Es entstanden Bildergalerien und Kunstkammern, in denen alte kirchliche Geräte, ihrer ursprünglichen Funktion entfremdet, nun als Raritäten zusammengetragen wurden oder für die eigens „Kunstkammerstücke" entstanden. Solche Kunstkammern gehörten zum selbstverständlichen Bestand fürstlicher Repräsentation.

Die Geschichte der Skulpturengalerie und ihrer Bestände reicht tief in die Geschichte der Kunstsammlungen des brandenburg-preußischen Staates zurück. Wie andere barocke Residenzen besaß auch das Berliner Schloß seine Kunstkammer, deren Bestand 1603, unter der Regierung des Kurfürsten Johann Friedrich, erstmals inventarisiert wurde. Doch ging im Dreißigjährigen Krieg das meiste verloren. Größere Bedeutung gewann dieses ganz auf den persönlichen Bedarf der Herrscher bezogene „Museum" unter dem Großen Kurfürsten, aus dessen Zeit nun auch die ältesten auf uns gekommenen Objekte stammen. Genannt seien die Adam-und-Eva-Gruppe des Elfenbeinschnitzers Leonhard Kern von 1646 (Kat. Nr. 42), vermutlich ein Hochzeitsgeschenk mit den Porträtzügen des 29jährigen Friedrich Wilhelm, das dem Künstler das Patent eines kurfürstlich-brandenburgischen Bildhauers eintrug, oder der Eisenguß des Großen Kurfürsten zu Pferde von dem kurfürstlichen Münzschneider Gottfried Leygebe (Kat. Nr. 43), der den Herrscher als Sieger über die vielköpfige Chimäre feiert und so die Rolle des absolutistischen Herrschers mythologisch überhöht. Auch die kleinformatigen Altertümer Kat. Nr. 3, 4, 7, 9 stammen aus der kurfürstlich-brandenburgischen, dann königlich-preußischen Kunstkammer.

Als 1830 das „Alte Museum" als die erste öffentliche Kunstsammlung in Preußen errichtet wurde, entstand eine Institution, die nicht mehr nur dem Ruhm des Herrschers diente, sondern dem gebildeten Bürger zugänglich war. Der Bau, zwischen Schloß und Dom fast gleichwertig angesiedelt, dokumentierte die Freiheit und Gleichheit des dritten Standes wenigstens im Reiche des Geistes. Der von Schinkel errichtete Tempel war nach den Worten des Ministers Altenstein „Stätte des Musendienstes, stiller Sammlung geweiht und dem fruchtbaren Nachdenken über die Ziele des geistigen Lebens und die Gesetze seiner Entwicklung". Das waren Worte ganz im Sinne des Deutschen Idealismus, der in Berlin unter Fichte, Hegel, Schleiermacher und Humboldt seine Blüte hatte, der Zeitgeist und Nation mit Weltgeist und Menschheit in Einklang zu bringen suchte.

Die Kunst, um die es hier ging, war nicht kirchliches Gerät oder barocke Herrscherapotheose, sondern zielte auf Idealität, menschliche Würde und kanonische Form. Skulptur war im Sinne Hegels die

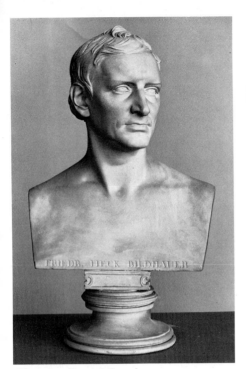

Christian Daniel Rauch:
Büste Friedrich Tieck

Kunst des Klassischen. So waren es im wesentlichen Bildwerke der Antike und Malereien der Renaissance, welche die Räume dieses Musentempels füllten. Zwischen Originalen und Kopien wurde kaum geschieden. Der Bildhauer Christian Daniel Rauch erhielt den Auftrag, die vorzüglichsten Antiken abformen zu lassen, auch bei der Erwerbung von Originalen war Rauch tätig, wobei ihm in Rom der junge Emil Wolff zur Hand ging. Im engen Kontakt mit Wilhelm von Humboldt planten Rauch und Tieck die Aufstellung der antiken Marmorskulpturen in der Rotunde und im Götter- und Heroensaal des Alten Museums. Aus der Kunstkammer gelangten Medaillen, Vasen, Majoliken in die neuen Sammlungen. Direktor der „Sculpturen-Gallerie" wurde der Bildhauer Friedrich Tieck, der auch die ersten Kataloge erarbeitete, nämlich das Verzeichnis der antiken Bildhauerwerke (1834) und das Verzeichnis

der Werke der Florentiner Bildhauerfamilie Della Robbia (1835).

Der klassischen Norm von Werken der Antike und der Renaissance entsprach die zeitgenössische klassizistische Skulptur der Ausstattung des Bauwerkes, die diesen Musentempel interpretierte: auf dem erhöhten Mittelbau die Rossebändiger vom Monte Cavallo in Rom, Nachbildungen Tiecks in Eisenguß, rückseitig die Gruppen eines von der Grazie gebändigten und von der Muse gelabten Pegasus von Hugo Hagen und Hermann Schievelbein in bronziertem Zinkguß. Die Treppenwangen wurden mit den berühmten Gruppen der Amazone von August Kiss und des Löwenkämpfers von Albert Wolff besetzt, die sich so innig mit Museumsbau und Museumsidee verbanden, daß Kopien hiernach fast ein Jahrhundert später noch dem Museum of Art in Philadelphia vorgesetzt werden konnten. Die Vorhalle des Museums füllte sich seit der Mitte des Jahrhunderts mit den Statuen großer Architekten, Künstler und Kunstwissenschaftler: Winckelmann, Schinkel, Rauch, Schadow, Cornelius, Knobelsdorff, Carstens, Chodowiecki und Otfried Müller. Heute steht keines dieser Denkmäler mehr an Ort und Stelle.

Bei der Eröffnung des Alten Museums vor 150 Jahren waren die wenigen damals vorhandenen italienischen Skulpturen aus dem Nachlaß des Generalkonsuls Bartholdy der Antike inkorporiert. Im Jahre 1840 gelang der Ankauf der Sammlung Pajaro aus Venedig mit 80 oberitalienischen und byzantinischen Werken, 1842 konnten aus Florenz 25 Bildwerke des Quattrocento erworben werden, darunter Desiderios Büste der Marietta Strozzi. Damit wurde jene Kollektion von Quattrocentoplastik grundgelegt, die heute einen Schwerpunkt unseres Museums bildet. Auch die Frühchristlich-Byzantinische Sammlung der Skulpturengalerie hat hier ihre Quellen.

Nach diesem großen Beginn blieb es um den weiteren Ausbau der Sammlung still, bis 1872 Wilhelm von Bode zum Assistenten der Gemäldegalerie berufen wurde

Max Liebermann: Wilhelm von Bode

und den Auftrag erhielt, sich zugleich um die „Renaissance-Abteilung der Skulpturen" zu kümmern. Im Jahre 1885 wurde Bode der erste Direktor der nunmehr verselbständigten „Abteilung der Bildwerke der christlichen Epochen" und leitete diese Abteilung, später neben dem Amt des Direktors der Gemäldegalerie und dem Amt des Generaldirektors, bis zu seinem Ausscheiden 1921. Er baute die Skulpturensammlung systematisch aus mit dem Ziel, die Geschichte der europäischen Plastik umfassend zu repräsentieren. Im Sinne des Historismus bestand die Kunstgeschichte nicht mehr nur aus einigen idealen Höhepunkten, die aus langen dunklen Niederungen ragten. Jede Epoche wurde nun aus ihren eigenen Voraussetzungen gewürdigt. Dies kam vor allem der mittelalterlichen Skulptur von der Romanik bis zur Spätgotik zugute, die sich bald zu einem eigenen organischen Komplex entwickelte. Schon 1850 war die Ravensburger Schutzmantelmaria (Kat. Nr. 18) nach Berlin gekommen, bezeichnenderweise zunächst in die Kunstkammer, im selben Jahr gelangte die Simson-und-Delila-Gruppe von Artus Quellinus (Kat. Nr. 48) in das Museum. 1858 konnten die beiden Imhoff-Büsten von Gregor van der Schardt (Kat. Nr. 41) erworben werden, 1887 Riemenschneiders vier Evangelisten vom Münnerstädter Altar (Kat. Nr. 20) und die Madonna des Presbyter Martinus von 1199 (Kat. Nr. 23); im Jahre 1881 kam das Lesepult des Giovanni Pisano dazu (Kat. Nr. 25), 1904 der romanische Kölner Engel (Kat. Nr. 12). Die Muttergottes von Dangolsheim (Kat. Nr. 19), ein Höhepunkt spätgotischer Skulptur, wurde 1913 dem Museum geschenkt.

Im Jahre 1897 gründete Wilhelm von Bode den Kaiser-Friedrich-Museums-Verein, der Skulpturensammlung und Gemäldegalerie durch private Stiftungen unterstützte und der über acht Jahrzehnte hinweg noch heute tätig ist. Die Madonna des Luca della Robbia (Kat. Nr. 28) war eine der ersten Stiftungen des Vereins, die Büste des Barons Stosch von Edme Bouchardon (Kat. Nr. 49) ist ein Beispiel aus jüngerer Zeit. Darüber hinaus wurde Bode von zahlreichen Kunstfreunden unterstützt, die er seinerseits beim Aufbau ihrer Sammlungen beriet. Prominentes Beispiel dieses Mäzenatentums ist der Berliner Kaufmann James Simon, der seine Sammlungen italienischer Bronzen und deutscher Kleinkunst 1904 und 1918 dem Museum vermachte. 1904 wurde auf der Spitze der Museumsinsel das Kaiser-Friedrich-Museum eröffnet, das den reich angewachsenen Beständen an Skulpturen und Gemälden nun eigene Räume bot. Hier entstanden die „period-rooms", in denen die verschiedenen Gattungen der Kunst aus gemeinsamen Epochen und Landschaften miteinander präsentiert wurden. Diese Gesamtschau europäischer Kunst nach kunsthistorischen Gesichtspunkten und verbunden mit höchstem Anspruch an den künstlerischen Rang war bahnbrechend und wurde beispielhaft für das Museumswesen weit über Berlin hinaus.

Der erste Weltkrieg und sein bitteres Ende veränderten die Situation der Museen erheblich. Aus den Königlich-Preußischen wurden die Staatlichen Museen, die wohlhabenden Bürger und großen Sammler waren arm geworden, die „Gründer"-Jahre dahin. Dennoch blieb die Substanz an Sammlungsbeständen und wissenschaftlichem Anspruch intakt und erlaubte, bei starker Konzentration der Kräfte die Tradition fast ungebrochen weiterzuführen. Die Nachfolge Bodes als Direktor der „Abteilung der Bildwerke der christlichen Epochen" trat Theodor Demmler an, der zusammen mit Ernst Friedrich Bange die deutsche und italienische Sammlung neu ordnete, während gleichzeitig Fritz Volbach die Leitung der Frühchristlich-Byzantinischen Sammlung übernahm. Im Jahre 1930 konnte in einem Flügel des neuen Pergamon-Museums das Deutsche Museum installiert werden, wohin die deutschen, niederländischen, französischen und englischen Skulpturen überführt wurden, während im Kaiser-Friedrich-Museum die italienischen und frühchristlich-byzantinischen Bestände in neuer Ordnung verblieben. Die Sammlungskataloge des Deutschen Museums sind heute noch Standardwerke der Forschung.

Der zweite Weltkrieg griff ungleich stärker in Substanz und Struktur der Museen ein. Die Schausammlungen wurden geschlossen, die Bestände teilweise ausgelagert. Zwar erlitt während der Kriegshandlungen die Skulpturengalerie keinerlei Verluste, doch wurden erhebliche Teile der in Berlin verbliebenen Objekte unmittelbar nach Kriegsende geplündert und in Brand gesetzt. Dabei gingen vor allem italienische Großplastiken verloren, darunter Werke von Giovanni Pisano, Luca und Andrea Della Robbia, Verocchio und Donatello, aber auch deutsche Bildwerke sowie etwa ein Drittel der Bestände an Kleinbronzen. Gegen Ende des Krieges waren große Teile der Schausammlungen in die Bergwerke Grasleben und Kaiseroda verbracht worden. Den Abschluß der Aktion verhinderte das Näherrücken der Front. Diese Bestände wurden 1945 von amerikanischen und englischen Truppen geborgen und nach Wiesbaden bzw. Celle verbracht. Erst nach langwierigen Verhandlungen mit den Siegermächten und den Nachfolgeländern des 1947 durch Kontrollratsbeschluß aufgelösten Staates Preußen begann die Rückführung dieses im Westen ausgelagerten Museumsgutes. Vorangegangen war der Kaiser-Friedrich-Museums-Verein, der 1953 einen Musterprozeß auf Herausgabe seines Gemäldes „Der Mann mit dem Goldhelm" erfolgreich durchgefochten hatte. Mit diesem Bilde kam auch das weitere Eigentum des Vereins, sofern es nicht auf der Museumsinsel verblieben war, zurück, nun in die westlichen Sektoren der geteilten Stadt. Die übrigen Museumsbestände folgten 1958, etwa 3500 Objekte, etwa zwei Drittel des ursprünglichen Gesamtbestandes. Das restliche Drittel befindet sich entweder im alten Kaiser-Friedrich-Museum, das heute Bode-Museum heißt, oder gehört zu den Kriegsverlusten. Wie stark die Trennung in Ost und West auch in erhaltene Ensembles eingreift, erweist die spätromanische Triumphkreuzgruppe aus Naumburg, deren monumentaler Kruzifixus in Ost-Berlin verblieb, während die trauernde Maria (Kat. Nr. 13) nach Westen ausgelagert wurde und nach Berlin-Dahlem gelangte.

Im Jahre 1955 erhielt die Skulpturengalerie in Peter Metz wieder einen eigenen Direktor, der seine Dienstzeit 1966 mit der Eröffnung eigener Sammlungsräume in Berlin-Dahlem beenden konnte. Zugleich begann aufs neue eine Erwerbstätigkeit, die bis zum heutigen Tage den Zugang von etwa 500 Objekten mit sich brachte. Vorrang hatten hierbei zunächst die Bemühungen, Kriegsverluste zu ersetzen oder – nachdem die Hoffnung auf eine baldige Wiedervereinigung der geteilten Stadt und ihrer Museumsbestände erloschen war – die Folgen dieser Teilung auszugleichen. So waren etwa bei der Frühchristlich-Byzantinischen Sammlung die monumentalen Objekte auf der Museumsinsel geblieben, während die kostbaren kleinformatigen Werke, darunter fast der gesamte Bestand an Elfenbei-

nen – etwa die Berliner Pyxis (Kat. Nr. 3) oder das Diptychon mit Christus und Maria (Kat. Nr. 4) – nach Berlin-Dahlem gelangt waren. Hier konnte durch den Ankauf einiger großformatiger Steinbildwerke, wie der thronenden Isis mit dem Horusknaben (Kat. Nr. 2) oder des Reliefs der Hetoimasia (Kat. Nr. 1) der Sammlungscharakter wieder einigermaßen in ein Gleichgewicht gebracht werden.

Darüber hinaus war es möglich, Sammelgebiete, die in früheren Jahrzehnten nicht recht zur Entfaltung gekommen waren, zu größeren Komplexen zu erweitern, wobei der Kunstmarkt und die Kompetenz einzelner Wissenschaftler ihre Chance boten. Dies gilt insbesondere für die italienischen Skulpturen des Barock, die nach Anzahl und Qualität so bereichert werden konnten, daß ein neuer Schwerpunkt des Museums entstand. Der jüngst erschienene Katalog der italienischen Bildwerke des 17. und 18. Jahrhunderts, der erste der in Arbeit befindlichen neuen Bestandskataloge, weist unter 66 bearbeiteten Werken die Hälfte als Neuerwerbungen aus. Von überragender Qualität sind der Marmorputto von Bernini (Kat. Nr. 35), das Relief mit der Himmelfahrt Mariae von Pierre Puget (Kat. Nr. 38) oder die monumentale Diana von Bernardino Cametti (Kat. Nr. 37). Neben überlieferten Sammelgebieten wurde in jüngster Zeit versucht, auch die so lange vernachlässigten Skulpturen des 19. Jahrhunderts ernst zu nehmen und in das Museum zu integrieren. Hier sind mit Marmorgruppen, wie der Amor und Psyche von Reinhold Begas (Kat. Nr. 51) oder der „Confidence" von Ernest Carrier-Belleuse (Kat. Nr. 52) Markierungen gesetzt worden.

Im Zusammenhang mit dem Neubau des Völkerkundemuseums und der Museen für Asiatische Kunst gewann die Skulpturengalerie den Riemenschneider-Saal hinzu, in welchem Teile der Spätgotik und Renaissance bis hin zu den monumentalen Ritterheiligen des Martin Zürn (Kat. Nr. 46) einen neuen Platz fanden. Ein schmaler Gang schafft die Verbindung zur italienischen Sammlung, so daß wenigstens im Obergeschoß ein interner Rundgang durch die Schausammlungen möglich wurde. Dieser Verbindungstrakt wurde mit Kunstkammerstücken dicht besetzt und erfreut sich in seiner atmosphärischen Dichte besonderer Beliebtheit bei den Besuchern. Dennoch bleibt deutlich, daß es sich bei dieser Verteilung der Museumsbestände über verschiedene Gebäudekomplexe der Dahlemer Bauten bis hin in das Treppenhaus um ein Provisorium handelt. In den Neubauten am Tiergarten wird das Museum sein endgültiges Domizil finden. Die Planungen haben begonnen, mit der Umsiedlung unseres Museums kann um 1988 gerechnet werden.

Eine Museumsgeschichte allein als Erwerbungsgeschichte gibt ein unvollständiges und ein falsch akzentuiertes Bild. Neben dem Mehren der Bestände kommt dem Bewahren eine gleichrangige Rolle zu, was auf dem Hintergrund der starken Kriegsverluste mit großem Ernst betrieben wird. Durch unsere Restauratoren wurden zahlreiche Werke von späteren Veränderungen befreit und in ihrem ursprünglichen Zustand wiederhergestellt. Dabei kann der Rang eines Werkes eine neue Bewertung erfahren, wie bei der Simson-und-Delila-Gruppe des Artus Quellinus (Kat. Nr. 48), oder neue Studien motivieren, wie die Wiederherstellung der „monochromen" Fassung der vier Evangelisten des Münnerstädter Altares (Kat. Nr. 20), die in ein Forschungsprojekt zum Frühwerk Tilman Riemenschneiders mündete.

Ebenso wichtig ist die Präsentation des Bestandes, die nicht nur die wissenschaftliche Durchdringung des Materials voraussetzt, sondern konkrete Vorstellungen über Ziele und Formen der Vermittlung. Dahinter steht kritische Reflexion über die Rolle des Museums in einer sich wandelnden Zeit. Die Kunstkammer des Barock diente selbstverständlicher Repräsentation des absoluten Fürsten. Das vor 150 Jahren gegründete „Alte Museum" schuf den humanistischen Idealen des aufgeklärten Bürgertums ihren Mu-

sentempel. Dieser Freiraum blieb freilich ebenso beschränkt, wie die in ihm anschaulich gemachte historische Wirklichkeit. Die „Sculpturen-Gallerie" führte ästhetische Normen vor, nicht reale Geschichte der Kunst. Erst der Historismus der zweiten Hälfte des vorigen Jahrhunderts versuchte, Geschichte und Kunstgeschichte umfassend darzustellen; jede Epoche war nun – mit Leopold von Ranke, seit 1825 Professor der Geschichtswissenschaft in Berlin – „unmittelbar zu Gott". Was unter diesem erweiterten Blickwinkel und dem Anspruch der Objektivität aus der Ära von Konstantin dem Großen bis zur Französischen Revolution zusammengetragen werden konnte, wurde unter den Begriff der „Abteilung der Bildwerke christlicher Epochen" subsumiert – ein etwas umständlicher Name, der 1939 der nüchternen Verwaltungsbezeichnung „Skulpturenabteilung" weichen mußte. Die Adressaten waren die gleichen geblieben: der gebildete Bürger, dem sich Schönheit, Wert und Würde eines Kunstwerkes selbstverständlich mitteilt. Auch heute ist das Bildungserlebnis angesichts der Begegnung mit dem originalen Kunstwerk der entscheidende Impuls für jeden Museumsbesuch. Und die steigenden Besucherzahlen erlauben hinzuzufügen: mehr denn je. Aber: die Begegnung des Menschen mit dem Kunstwerk zielt auf einen erweiterten Kreis von Menschen und gilt einem erweiterten Begriff des Kunstwerkes. Wir wollen heute neben den traditionellen Besuchern auch jene erreichen, für die das Museum Neuland ist. Dies gilt nicht zuletzt für die Jungen, denen die Scheu vor „Musentempeln" oder „ästhetischen Kirchen" genommen werden muß. Der erste Besuch entscheidet häufig darüber, ob das Museum ein Leben lang gemieden oder als Institution akzeptiert wird. Mit der didaktischen Ausstellung „Der Mensch um 1500 – Werke aus Kirchen und Kunstkammern" 1977 sowie einer Reihe von „Lehrerhandreichungen" wurde versucht, neue Formen der Vermittlung für Lehrer und Schüler zu entwikkeln, die in die Praxis der Schule einbezogen werden können. Insgesamt setzt dies voraus, daß die Werke der bildenden Kunst nicht nur als ästhetische Norm in ihrer „vollendeten" Erscheinung begegnen, sondern als Teil lebendiger Prozesse, als Summe historischer, religiöser und moralischer Erfahrungen. Dies ohne plakative Vordergründigkeit, allein durch die Art der Präsentation und begleitenden Informationen anschaulich zu machen, ist nicht leicht. Die Kombination und Konfrontation von Einzelwerken und Ensembles, die Atmosphäre von Lichtführung und Farbgebung gehören ebenso dazu, wie die Art der Beschriftung, Führungsblätter oder Studienhefte. Stets steht am Anfang das authentische Kunstwerk, dann folgt die Information, die – in vielleicht vertiefter Sicht – zum Kunstwerk zurückführt. Wie differenziert in einer einfühlsamen Präsentation die Charakteristika einzelner Epochen „visualisiert" werden können, zeigt die farbenfrohe Kraft der Mittelaltersammlung gegenüber der kühlen Noblesse in Marmor und Bronze der italienischen Sammlung oder der artifiziellen Dichte der Kunstkammerstücke des Barock.

Seit 1975 heißt unser Museum wieder „Skulpturengalerie", und dies nicht nur aus Gründen historischer Pietät. Der Rückgriff auf den alten Namen vertritt ein Programm. Kirchliches Gerät, museal verfremdet und in neue Bezüge gesetzt, die artifizielle und politische Tradition der preußischen Kunstkammer, der humanistische Anspruch des Alten Museums, die historische Breite der „Abteilung der Bildwerke christlicher Epochen",

der Schmerz um Kriegsverluste und die Bereicherung durch Neuerwerbungen, die ganze Geschichte soll gegenwärtig sein. Geschichte gegenwärtig machen, dieser scheinbare Widerspruch heißt: das stete Werden und Vergehen ernst zu nehmen und zugleich dem Augenblick Dauer zu verleihen. In der Begegnung mit dem Kunstwerk als von Menschen erlebter und gestalteter Geschichte kann die eigene Geschichte erfahrbar werden. In der Begegnung mit vollendeter Kunst werden Fixpunkte zeitloser Gültigkeit gesetzt. Der Besucher, der die im Folgenden zusammengestellten 53 chef d'œuvres der Skulpturengalerie betrachtet – ihre Reihenfolge entspricht einem Rundgang durch unsere Schausammlungen – wird im Wandel der Epochen immer wieder dem Menschen begegnen, seinem Leiden, seiner Einsamkeit, liebevoller Geborgenheit, selbstbewußter Würde oder gläubiger Hoffnung. Er wird der eigenen Existenz inne werden, und in der Begegnung mit großer Kunst der schöpferischen Möglichkeiten des Menschen – quer zur Zeit.

Die Amor-und-Psyche-Gruppe von Reinhold Begas (Kat. Nr. 51) setzt ein spätantikes Märchen des Apulejus in den Marmor um: Psyche, die Personifikation der menschlichen Seele, naht dem bislang unsichtbaren Amor, um ihn anzuschauen. Der Gott hatte dies verboten, doch der Drang nach Erkenntnis war stärker. Nun hebt Psyche die Lampe und steht gebannt: im Augenblick der „Erhellung" wird vollkommene Schönheit offenbar.

Peter Bloch

Farbtafeln

1 Der leere Thron Christi

Konstantinopel, um 400.
Marmorrelief, 167 × 84 cm.

In einer rundbogig abschließenden Säulenstellung die „Hetoimasia": der für Christus bereitete Thron. Auf dem perspektivisch wiedergegebenen, mit Edelsteinen besetzten und von einem Tuch verhangenen Sessel liegen auf einem Kissen Königsmantel (Chlamys) und Diadem bereit. Aus dem mit einer Halbmuschel gefüllten Tympanon fliegt die (nur in Resten erhaltene) Taube des Heiligen Geistes herab. Zu Füßen des Thrones stehen zwei aufblickende Hirschkühe als Sinnbild der Gläubigen.

Der Stil des Reliefs wurde von H. Brandenburg dem Konstantinopeler Kunstkreis um 400 zugewiesen. Es gehörte vermutlich mit einem weiteren Relief ehemals an San Marco zu Venedig und den Vorbildern zweier Kopien des 13. Jahrhunderts an der Fassade von San Marco zur ebenso kostbaren wie qualitätvollen Ausstattung einer frühchristlichen Kirche in Konstantinopel. Der leere Thron war schon in den altorientalischen Kulturen Zeichen der unsichtbaren, spirituellen Anwesenheit der Gottheit und wurde über den antiken römischen Kaiserkult in theodosianischer Zeit (um 400) auf Christus übertragen. Der Topos meint sowohl die stete Gegenwart des Herrn als die Erwartung seiner Wiederkehr am Jüngsten Tage, worauf die Hirschkühe hinweisen, die in Anlehnung an Psalm 41 erwartungsvoll zum Thron aufblicken. In anderen und zumeist späteren Darstellungen der „Hetoimasia" füllen Evangelienbuch und Kreuz den leeren Thron. Mit den Motiven von Königsmantel und Diadem bezeugt das Berliner Relief die unmittelbare Beziehung zwischen antikem Gottkaiserkult und frühchristlicher Verehrung des Christus Basileus.

2 Thronende Isis mit Horusknaben

Mittelägypten, 4. Jahrhundert.
Kalkstein, H. 88,5 cm.

Die ägyptische Muttergottheit sitzt in strenger Frontalität und breit gestellten Beinen auf einem Thron mit hoher Lehne. Mit der Rechten bietet sie die entblößte Brust dem Kinde dar, das schräg auf ihrem Schoße liegt und mit beiden Händen zur Brust greift. Die Isiskrone auf dem Haupte in Gestalt von Hörnern, zwischen denen sich die Sonne befindet, ist offenbar nachträglich abgearbeitet worden. Dies könnte darauf deuten, daß die ägyptische Muttergottheit nachträglich in eine christliche Marienfigur abgewandelt wurde.

Isis, Schwester und Gemahlin des Osiris, Mutter des Horus, war Sinnbild der Naturkraft und eine der volkstümlichen Gottheiten Ägyptens, deren Kult im ganzen römischen Imperium verbreitet war. Der Bildtyp wurde schon früh auf christliche Darstellungen der nährenden Gottesmutter (Maria lactans) übertragen. – Der Stil der Berliner Isis hat nichts mehr mit den strengen altägyptischen Formen gemein, sondern tradiert in den üppigen Gestalten mit ihrer weichen Fleischigkeit den Hellenismus in einer durchaus provinziellen Variante.

3 Pyxis mit Christus als Lehrer und dem Opfer Abrahams

Trier (?), spätes 4. Jahrhundert.
Elfenbein, H. 12 cm, Dm. 14,6 cm.

Die Wandung des Gefäßes ist rundum mit teilweise frei gearbeiteten Reliefs besetzt. Unter einem Arkadenbogen thront Christus in der Gestalt eines antiken Philosophen, jugendlich, mit dem Rotulus in der Linken und segnend erhobener Rechten. Um ihn die Jünger in erregten Gebärden, zu seinen Füßen die Apostelfürsten Petrus und Paulus. Auf der Rückseite das Opfer Abrahams.
Die Darstellungen beziehen sich wohl auf die Funktion des Gefäßes, das zur Aufbewahrung der geweihten Hostie gedient haben dürfte. Das Opfer Abrahams galt von jeher als alttestamentliches Vorbild des Opfers Christi, das im Abendmahl nachvollzogen wird. Die Jünger verkörpern die christliche Urgemeinde, die gemäß Apostelgeschichte 2, 42: „... verharrte in der Lehre der Apostel, in der brüderlichen Gemeinschaft, im Brotbrechen und Gebet."
Der Stil der Reliefs steht auf der Höhe spätantiker-frühbyzantinischer Kunst. Es wurde eine Entstehung in Alexandria oder Antiochia erwogen. Die Pyxis wurde 1843 in Koblenz erworben und soll aus einem Dorf an der Mosel stammen. Dies läßt auch an eine Entstehung in Trier denken, das damals eine politische und künstlerische Metropole des römischen Nordens war.

4 Diptychon mit Christus und der Gottesmutter

Konstantinopel, 546–556.
Elfenbein, je 29 × 13 cm. Unten abgeschnitten.

Auf der linken Tafel thront der bärtige Christus mit segnender Rechten und stützt das Evangelienbuch auf sein Knie. Auf der rechten Tafel thront Maria im Typus der Nikopoia mit dem Kinde auf dem Schoß, das gleichfalls mit der Rechten segnet und in der Linken einen Rotulus hält. Beide Gestalten sitzen auf einem entsprechenden, reichverzierten Thronsitz vor einer nischenartig abschließenden Architektur, beide sind flankiert von ihrem „Hofstaat": den Apostelfürsten Petrus und Paulus bzw. zwei Erzengeln. Elfenbeindiptychen, zwei mit einem Scharnier verbundene Tafeln, waren eine luxuriöse Spielart antiker Schreibtafeln und dienten als Geschenke von hohen Würdenträgern am Tage ihres Amtsantrittes. Die Blüte dieser Gattung liegt im 4. bis 6. Jahrhundert, im Übergang von einer spätantiken zu einer frühchristlichen Kunst. So verbindet das Berliner Diptychon in exemplarischer Weise antikes Hofzeremoniell mit neuen Inhalten. Wie der Imperator inmitten seiner Vasallen zur Audienz Platz genommen hat, so erscheint Christus als der neue Himmelskönig, flankiert von seinem Hofstaat. Und der Kaiserin gleich wird Maria beigesellt, in ihrer Funktion als „Theotekos" (Gottesgebärerin), zu der sie auf dem Konzil von Ephesos 431 erklärt worden war. Dargestellt ist die zweifache Funktion Christi als der menschgewordene Gott und der Richter des Jüngsten Tages. Stilistisch stehen die Reliefs jenen an der Kathedra des Erzbischofs Maximian in Ravenna nahe, die in dessen Regierungszeit 546–556 entstanden sein muß und einer Werkstatt in Konstantinopel zugewiesen wird. Die am unteren Bildrand teilweise noch erkennbaren Buchstaben könnten zu einem Monogramm des Erzbischofs Maximian gehört haben.

5 Befreiung einer von Barbaren belagerten Stadt

Ägypten, 5. Jahrhundert.
Holz, H. 45 cm, B. 22 cm.

Das halbrund geschnitzte Relief zeigt das Mauerwerk einer Stadt mit einem zentralen Turm. Aus dem großen Torbogen im Untergeschoß dringen Krieger heraus, Reiter auf dem Rundsockel wenden sich zur Flucht, von links eilt, in drei Reihen gestaffelt, Fußvolk zu Hilfe. Einer dieser Soldaten trägt auf der Standarte ein Christusmonogramm (?). An den Rundtürmen rechts sind an Gabelkreuzen die Leiber von drei Fürsten mit Diademen aufgehängt. Auf den Zinnen steht Fußvolk. Im Torbogen des Turmes ein vornehmes Paar, links daneben drei Männer mit segnender Gebärde. Auch die Unterseite des Reliefs ist mit Architektur besetzt. Ungewiß bleibt, ob es sich um eine zeitgenössische oder biblische Szene – etwa die Entsetzung Gideons durch Josua (Josua 10, 6 ff.) – handelt. Stilparallelen fehlen; auch die Funktion des Reliefs bleibt unklar.

6 Bekrönung eines Szepters

Byzanz, spätes 9. Jahrhundert.
Elfenbein, 10 × 9,5 cm.

Das oben rund abschließende, vierseitig mit Figurenschmuck besetzte Elfenbein zeigt auf den Hauptseiten jeweils unter einem von Säulen getragenen und mit drei Kuppeln besetzten Architrav eine Dreiergruppe in Halbfigur. Auf der Vorderseite Christus, segnend zwischen den Apostelfürsten Paulus und Petrus, auf der Rückseite Maria, von einem Erzengel begleitet, die sich leicht zur Seite wendet und mit der Rechten einem Herrscher die Krone aufs Haupt setzt. Auf den Schmalseiten die Halbfiguren der Heiligen Cosmas und Damian. Die Inschriften auf dem oben abschließenden Band zitieren den sog. Königspsalm 20, 2 mit Einfügung eines Kaisers Leo. Die Inschrift auf dem Architrav über der Krönungsszene lautet: Mögest du (zum Guten) streben, mögе es dir wohlergehen, Basileus Leo. Mit diesem Herrscher wird Leo VI. identifiziert, der seit 870 Mitkaiser seines Vaters Basileios I. war und 886 die Regierungsgewalt übernahm. Daß Christus den Vorgang der Krönung vollzieht, ist eine in byzantinischen und mittelalterlichen Herrscherdarstellungen übliche Formulierung, die der Auffassung des weltlichen Herrschers als Vertreter Christi auf Erden entspricht. Eine Krönung durch Maria ist selten. Die Form der Architektur und die Anwesenheit zweier weiterer Heiliger verweisen auf eine Maria und den Heiligen Cosmas und Damian geweihte Kirche. – Der Stil des Elfenbeins ist ohne engere Parallelen. Auch die Funktion des Gerätes konnte bislang nicht eindeutig geklärt werden.

7 Die vierzig Märtyrer von Sebaste

Byzanz, 10. Jahrhundert.
Elfenbein, 17,6 × 12,8 cm.

Dicht gedrängt stehen in der unteren Bildhälfte vierzig Männer, kaum bekleidet und frierend in Erwartung ihres Martyriums. Oben thront Christus in der Mandorla, flankiert von je drei herbeifliegenden Engeln, welche die verhüllten Hände bereithalten, um die Seelen der Opfer aufzunehmen. Es handelt sich um die Darstellung der vierzig Märtyrer von Sebaste, christliche Soldaten einer römischen Legion, die wegen ihres Glaubens in Sebaste/Armenien den Tod durch Erfrieren auf dem Eise eines Teiches erlitten. In der Mitte am rechten Bildrand ein Badehaus, in dem sich ein Abtrünniger verbarg. Über dem Wasserspiegel, der von dort in einer Wellenlinie das Bildfeld unterteilt,

die griechische Inschrift: Die heiligen Vierzig.

Ein Gegenstück dieser Tafel in der Eremitage zu Leningrad besitzt noch die ursprünglich zugehörigen Flügel mit den Standbildern von jeweils vier Heiligen, darunter sieben Krieger. Auch die Berliner Tafel war also das Mittelstück eines Triptychons. Das bereits 1828 für die Königliche Kunstkammer erworbene Relief entstand in der Blütezeit byzantinischer Elfenbeinkunst und wird allgemein der sog. „Malerischen Gruppe" des 10. Jahrhunderts zugewiesen, von anderen wegen der besonders ausdrucksvoll-bewegten Auffassung in das 11. oder 12. Jahrhundert gesetzt.

8 Christus der Erbarmer

Byzanz, um 1100.
Mosaik-Ikone, 74,5 × 52,5 cm.

Christus erscheint in Halbfigur in blauem Mantel vor goldenem Grund. Das bärtige Antlitz ist von gewelltem Haar gerahmt, die Augen blicken zur Seite. In der Linken hält der Herr ein goldenes Buch mit edelsteinbesetztem Einband, die Rechte ist im griechischen Segensgestus leicht erhoben. Zu Seiten des silbern gefüllten Kreuznimbus griechische Inschriften: oben die Abkürzungen des Namens „Jesus Christus", darunter die Bezeichnung „der Erbarmer". In der lebendigen Zeichnung des Gesichts bleiben Traditionen eines spätantiken Illusionismus erhalten, die mit der Stilisierung der Gewandbehandlung kontrastieren. Diese Übergangssituation kehrt etwa auf dem Mosaik mit Maria zwischen dem Kaiser Johannes II. Komnenos und der Kaiserin Irene von 1118 in der Hagia Sophia wieder.
Im Bildtyp entspricht die Mosaik-Ikone der Darstellung Christi in den Kuppel- oder Apsismosaiken mittelbyzantinischer Kirchen, ist aus diesem Zusammenhang aber im Sinne eines autonomen Bildes herausgelöst. Die Vermutung liegt nahe, daß die Berliner Mosaik-Ikone das zentrale Kultbild einer „Christus dem Erbarmer" geweihten Kirche war, doch fehlt bislang eine exakte Provenienz.

9 Der zwölfjährige Jesus im Tempel, Das Weinwunder zu Kana, Heilung des Aussätzigen

Metzer Schule, um 870.
Elfenbeinrelief, 22,2 × 11,6 cm.

Die in drei Register unterteilte Tafel zeigt oben den jugendlichen Jesus zwischen sechs disputierenden Schriftgelehrten, zu denen Maria und Joseph treten. Im Mittelfeld steht der Herr vor der fürbittenden Mutter und weist auf sechs Krüge, bei denen ein Diener mit einem Mischgefäß hantiert; rechts der Tisch mit den Hochzeitsgästen, links drei Apostel. Unten schreitet Christus an der Spitze von fünf Jüngern auf abfallendem Bodenstreifen auf den Aussätzigen zu, der ihm mit flehender Gebärde und nur mit einem Lendentuch bekleidet vor einer Giebelarchitektur entgegentritt. Die erhobene Rechte des Herrn verheißt Heilung.

Ein Hauptwerk der spätkarolingischen sog. Jüngeren Metzer Schule. Nächstverwandt die Tafel mit dem Wunder zu Kana, Tempelreinigung und Blindenheilung in der Würzburger Bibliothek. Die Auswahl der Szenen nach Luk. 2, 42 ff., Joh. 2, 1 ff. und Matth. 8, 1 ff. folgt keinem durchschaubaren Prinzip, bezieht sich aber sicher (wie das Würzburger Elfenbein) auf den Schmuck eines Evangelienbuches. Die einzelnen Register sind von breiten, akanthusgefüllten Leisten gerahmt, die nur im unteren Feld rundum geführt werden, während die beiden oberen Felder den unteren Abschluß aussparen – ein Rahmensystem, das schon im Frühchristlichen zu beobachten ist (vgl. die Berliner Tafel mit drei Szenen aus dem Leben Christi aus dem frühen 5. Jh.) und über die Hofschule Karls des Großen (Diptychon im Aachener Münsterschatz) vermittelt sein dürfte. Teile des Wunders von Kana im mittleren Register kehren auf einem Bronzekessel der Skulpturengalerie aus dem späten 19. Jahrhundert als „Teilkopie" wieder.

10 Diptychon mit Moses und Thomas

Trier oder Echternach, um 1030.
Elfenbeinrelief, je 24 × 10 cm.

Schmale Tafeln mit breitem, akanthusgefülltem Rahmen. Die linke zeigt Moses zwischen zwei gedrehten Säulen in starker Torsion des Körpers auf einem Felsblock; mit erhobenen Armen empfängt er aus der Hand Gottes die Gesetzestafeln, die eine Inschrift: MOYSES FA (mulus domini) nach Josua 8, 31 und Hebr. 3, 5 tragen. In den Zwickeln des Giebels wohnen zwei Engel in Büstenform dem Vorgang bei. Auf der zweiten Tafel reckt sich Thomas in Rückenansicht zu Christus empor, der auf einem polygonalen Sockel steht und den Arm über sein Haupt legt, um die Seitenwunde zu entblößen, die Thomas mit der Rechten berührt. In den Zwickeln der überfangenden Arkade die Inschrift: INFER DIGITVM TUUM HVC ET NOLI (esse incredulus) nach Joh. 20, 27 (Lege deinen Finger hierher und sei nicht ungläubig ...). Ihrem Inhalt nach sind die beiden Tafeln typologisch aufzufassen: Moses empfängt die Gesetzestafeln des Alten Bundes, Thomas empfängt das Gesetz der Liebe des Neuen Bundes. In der Drastik und Expressivität der Formen kommt ein Meister von ausgeprägter Individualität zur Sprache, dem sich weitere Werke, wie die Majestes Domini der Skulpturengalerie und die Kreuzigungstafel auf dem Deckel des Codex Aureus aus Echternach im Germanischen Nationalmuseum zu Nürnberg zuweisen lassen. Stilistisch vertritt der Elfenbeinschnitzer die Phase des Übergangs von den spirituellen Erscheinungen „ottonischer" Kunst zu kraftvoll-monumentalen Menschenbildern der „salischen" Kunst am Beginn der Romanik. Die nach wie vor umstrittene Datierung und Lokalisierung spiegelt sich in der umfangreichen Literatur wider.

11 Altärchen mit der Kreuzabnahme Christi

Trier, Mitte des 11. Jahrhunderts.
Birnbaumholz, 26,7 × 17,7 cm.

Das Bildfeld füllt das runde, unbehauene Kreuz, das oben in einem (unbeschrifteten) Titulus endet. Zwei Knechte, der untere klein und in profaner Kleidung (an der Stelle des sonst hier üblichen Nikodemus) lösen die Nägel des Gekreuzigten, dessen Körper in die Arme des Joseph von Arimathia gleitet. Am linken Bildrand steht Maria und hält liebkosend die Rechte des Herrn. Ihr gegenüber ringt Johannes die Hände. Von oben schwebt ein Engel herab und schwingt ein Rauchfaß. Die Darstellung war vermutlich durch die ursprüngliche Bemalung verdeutlicht. Das rundbogig abschließende Relief war Mittelstück eines Klappaltärchens. Die verlorenen Flügel trugen Malereien; ihre Befestigung ist an den Löchern für die Stifte unterhalb des Bogenlaufes zu erkennen. In der rund auskragenden Halterung oben war vermutlich ein Kreuz eingesteckt.

Im zierlichen Format und in der Gestalt eines Klappaltärchens bleibt die Kreuzabnahme ein Einzelgänger unter den erhaltenen Skulpturen des frühen Mittelalters. Die Form des Altärchens und die Ikonographie der Kreuzabnahme verweisen auf byzantinische Vorbilder. Die Gestalt des vom Kreuze Genommenen ist mit dem Kruzifixus in Monheim bei Düsseldorf vergleichbar, der um 1050 in Köln entstand, die Marienfigur steht der thronenden Madonna des Frankfurter Liebieghauses nahe, die aus Kapellen Stolzenfels bei Koblenz stammt und etwa gleichzeitig am Mittelrhein entstanden sein dürfte. Enge Stilparallelen bietet ein byzantinisierendes Elfenbein mit der Verkündigung an Maria im Trierer Domschatz. Da die Berliner Kreuzabnahme 1908 in Merzig bei Trier erworben wurde, ist eine Entstehung in Trier wahrscheinlich.

12 Engel von einem Heiligen Grabe

Köln, um 1170.
Pappelholz, H. 62 cm.

Frontal thront der Engel auf einer von vier Säulen getragenen Bank, die Rechte redend erhoben, in der auf dem Knie ruhenden Linken ehemals ein Szepter. Er trägt ein Diakonsgewand; über der feingefältelten Albe eine langärmelige weiße Tunika mit breitem goldenen Besatz an Hals und Saum, darüber ein weißer Mantel, der über die linke Schulter fällt und in den Gürtel eingeschoben ist. Im Rücken sind Vertiefungen zu erkennen, wo ursprünglich die Flügel montiert waren. Wohl von gleicher Hand die thronende Muttergottes im Kloster Hoven nahe Euskirchen. Es sind die beiden Hauptwerke der romanischen Holzskulptur in Köln. Strenge Stilisierung der Faltenstrukturen verbindet sich mit einer sensiblen Verlebendigung des Menschenbildes zu einer Stilstufe, die in den Westportalen der Kathedrale von Chartres (um 1150) ihre Parallele hat.

Der Kölner Engel gehörte vermutlich zu einem „Heiligen Grabe" mit der Darstellung der Frauen vor dem leeren Sarkophag Christi am Ostermorgen. Die Szene geht auf die verschiedenartigen Berichte in den Evangelien zurück, wobei die Ikonographie am häufigsten dem Markus-Evangelium (16, 1–10) folgt, wo von drei Frauen mit Spezereien die Rede ist, die am geöffneten Grabe einen Jüngling in langem weißen Kleide zur Rechten sitzen sahen, der ihnen die Auferstehung Christi verkündete. Eben diesen „iuvenem sedentem in dextris, coopertum stola candida" verkörpert der Berliner Engel. Die kürzlich wiederentdeckte Statuette einer Trauernden mit Salbgefäß, die 1884 aus der Kölner Sammlung Schnütgen an das Christliche Museum in Estergom/Ungarn gelangte, konnte als eine der zugehörigen Marienfiguren identifiziert werden.

13 Trauernde Maria von einer Triumphkreuzgruppe

Naumburg, um 1230.
Eichenholz, H. 165 cm.

Schlank aufgerichtet steht Maria und stützt das Haupt in die hochgezogene Linke, die ein Tuch für die Tränen hält. Die Rechte ist vor die Brust geführt, die Hand in einer erschreckten und abweisenden Gebärde gewinkelt. Stoffreich fällt der Schleier über Schultern und Arm, füllige Faltenformen liegen auf den röhrenartigen Beinen oder fallen in zähflüssigen Faltenströmen herab. Am linken Fuß ist der Rest einer Schlange zu erkennen, der Maria den Kopf zertrat. Den vom Körper gelösten, teilweise verselbständigten Faltenbildungen von expressiv-linearem Charakter entspricht die Veranschaulichung des Leidens in einer durchaus neuen Intensität.

Die lebensgroße Statue gehörte zu einem Triumphkreuz, das sich hoch oben im Chorbogen der Kirche St. Moritz in Naumburg befand. Entsprechende Triumphkreuzgruppen haben sich im Dom zu Halberstadt (um 1220) und in der Kirche des ehemaligen Augustinerchorherrenstiftes Wechselburg (um 1235/40) erhalten. Die zugehörige Johannesfigur aus Naumburg ist offenbar schon früh verlorengegangen, der überlebensgroße Kruzifixus verblieb in Ost-Berlin. Im Stil vertritt die Maria aus Naumburg in ausgeprägter Weise die bewegte Spätphase der Romanik, die – parallel zur sog. Thüringisch-sächsischen Malerschule – in Mitteldeutschland ihren Höhepunkt fand. Die Verwandtschaft zur Malerei wird nicht zuletzt darin deutlich, daß das Motiv des Tränentuches nur in der Buchmalerei wiederkehrt.

14 Jesus-Johannes-Gruppe

Schwaben, um 1320.
Eichenholz, 89 × 45 cm.

„… Ein bärtiger Mann sitzt aufrecht da und sieht gedankenvoll und schwermütig in das Dunkel der Welt. Und ein Jüngling sitzt neben ihm und hat mit einer beinahe mädchenhaften Gebärde seinen lockigen Kopf an die Brust des Gedankenvollen gelehnt und schläft und träumt und tastet träumend mit seiner Hand nach der Hand des anderen. Und der andere nimmt ihn, ohne es recht zu wissen, noch ein wenig näher zu sich heran und läßt nicht ab, zu sinnen und zu trauern. Christus und Johannes …" (Manfred Hausmann).
Die aus dem Waisenhaus Nazareth bei Sigmaringen stammende Gruppe gehört zu einer kleinen Folge hochgotischer Bildwerke, welche die im Abendmahlsbericht des Johannes-Evangeliums (13, 22) überlieferte Szene: „… Es war aber einer unter den Jüngern, welchen Jesus lieb hatte, der saß am Tisch an der Brust Jesu" im Sinne eines Andachtsbildes verselbständigen. Vorläufer dieser dreidimensionalen Gruppen in der Buchmalerei erweisen, daß hier keine verkürzte Form der Abendmahlsdarstellung vorliegt, sondern eine Kennzeichnung Johannes' als Lieblingsjünger des Herrn, der an der Brust Christi göttliche Geheimnisse erfuhr. Bilder dieses Typus genossen Verehrung vor allem in der Kontemplation gewidmeten Frauenklöstern des Dominikanerordens und entstanden fast ausschließlich im schwäbisch-allemannischen Raum um den Bodensee. Die Berliner Gruppe folgt den wenig älteren Exemplaren aus der Gegend von Zwiefalten, heute im Museum von Cleveland, und aus dem Kloster Katharinental/Schweiz, heute in Antwerpen, Museum Mayer van den Bergh, übertrifft diese aber im Einklang von lyrischer Stimmung und schlichter Form.

40

15 Muttergottes auf dem Löwen

Salzburg, um 1370.
Zirbelkiefer, H. 48 cm.

Die stark durchschwungene Gestalt der Maria steht auf einem derben, wie zum Sprung geduckten Löwen, dessen von gelockter Mähne gerahmtes Haupt sich nach vorne wendet. Schmal und röhrenförmig steigt die Beinpartie in einer Schräge nach links an, überfangen von dem breiten, durch Schüsselfalten gegliederten Mantel, der von der ehemals wohl ein Zepter haltenden Linken gehoben wird. Der zurückgebogene Oberkörper und das Haupt drehen sich dem Kinde hoch über der rechten Hüfte zu, das sich mit nacktem Oberkörper frontal zum Beschauer wendet, mit der Rechten zum Ohr faßt und in der Linken eine Birne hält. Die Statuette soll aus Wals bei Salzburg stammen. Drei weitere „Löwen-Madonnen" in München, Wien und Vilshofen schließen sich zu einer Gruppe zusammen. Der noch eng dem Körperblock verbundene Schwung der Schüsselfalten kennzeichnet die Vorstufe zu jenen raumgreifenden Gebilden des Weichen Stils, der gerade in Salzburg einen Höhepunkt fand, und legt im Verein mit dem frisch zupackenden Wirklichkeitssinn der „Parlerzeit" eine Ansetzung dieser Bildwerke um 1370 nahe. – Der Löwensockel spielt auf die Genesis 49, 9 u. 10 formulierte Weissagung des Messias als „Löwe aus dem Geschlechte Juda" an, die Apokalypte 5, 5 aufgegriffen wird: „Siehe, es hat überwunden der Löwe, der da ist vom Geschlecht Juda, die Wurzel Davids, aufzutun das Buch und zu brechen seine sieben Siegel." Über dem Löwen emporwachsend führt Maria ihren Sohn als den geweissagten Messias, als den neuen Löwen von Juda, vor.

16 Trauernde Frauen mit Johannes

Mittelrhein, um 1425.
Gebrannter Ton, H. 54 cm.

Dicht gedrängt steht die Gruppe aus fünf Personen: Vorne Maria mit trauernd gesenktem Haupt und über der Brust gekreuzten Armen, rechts hinter ihr Johannes, der die Jungfrau mit der Linken stützt. Zwei weitere Marien schließen an, deren vordere die Muttergottes an der Hüfte hält; den Abschluß bildet Veronika, das Tuch in den Händen, mit dem sie Christus den Schweiß trocknete und auf dem in wunderbarer Weise sein Bildnis – die vera ikon – erschien. Die Gruppe war Teil eines figurenreichen Schreins mit der Kreuztragung Christi aus der Pfarrkirche St. Martin zu Lorch am Rhein, dessen ursprünglicher, bereits 1819 veräußerter Bestand nicht überliefert ist. Die Figuren des Kreuztragenden, der Schächer und eines knienden Stifters gingen im letzten Krieg verloren. Vermutlich schloß sich rechts ein weiterer Schrein mit Passionsszenen an; zwischen beiden ein Kruzifixus.

Die Komposition der trauernden Frauen mit Johannes, der Maria stützt, ist motivisch einer Kreuzigungsszene entnommen und um das zur Kreuztragung gehörende Bild der hl. Veronika bereichert worden. Sie bildet den komplexesten Teil des erhaltenen Bestandes. In der Elegie der Stimmung, im weichen Schwung der Falten, der einer Umsetzung in Ton entgegenkommt, ein Hauptwerk der besonders am Mittelrhein gepflegten Tonplastik des „Weichen Stils". Dem Meister der Lorcher Kreuztragung können weitere Arbeiten zugewiesen werden, insbesondere die Beweinung Christi aus Dernbach (um 1410–20) im Diözesanmuseum zu Limburg und die Büste des Joseph von Arimathia (um 1430) im Landesmuseum zu Darmstadt.

17 Schöne Madonna

Köln, um 1430.
Lindenholz, H. 91 cm (ohne die barocke Krone).

Voll behäbigem Stolz präsentiert Maria das Kind, das sie schräg vor der Brust mit beiden Händen hält und das lachend mit der Rechten zu ihrem Schleier greift. Fast völlig verschwindet der Körper unter einem Geschiebe von Schüsselfalten und flankierenden Kaskaden des Mantels, mühsam drückt sich das Knie des Spielbeins durch, eher ein plastischer Akzent innerhalb des mächtigen Dreiecks aus schwerem Stoff, der über dem Sockelrand in die Horizontale umbricht, denn Ausdeutung von Körperfunktionen.

Madonnen des „Weichen Stils" (1380 bis 1430) mit ihrer aufwendigen Faltenstruktur und ihrem idyllischen Sentiment werden seit Wilhelm Pinder (1923) als „Schöne Madonnen" bezeichnet. Die Statue in Berlin ist nach Typ und Faltengebung ein hervorragender Vertreter des Weichen Stils in seiner späten Phase. Das Tragemotiv der klassischen Trumeau-Madonna der Hochgotik entwickelt sich zu einem Vorweisen des Kindes, womit im Sinne des Spätmittelalters ein Betrachter einbezogen wird. Die Stilparallelen der bislang nach Bayern lokalisierten Statue weisen nach Köln, wo die Muttergottes von St. Gereon zu Köln und St. Peter in Recklinghausen sich zu einer Werkstattgruppe zusammenschließen lassen. Gemeinsam ist diesen Figuren eine Verhärtung der Faltenfülle im Übergang zum „herben" Stil der Jahrhundertmitte.

18 Michel Erhart (tätig 1469–1527)

Schutzmantel-Maria, 1480.
Lindenholz, H. 135 cm.

Hoch aufgerichtet steht Maria, das vom Schleier umkreiste Haupt leicht zur Seite gewendet und sinnend in die Ferne blickend. Sie öffnet mit beiden Händen ihren Mantel, unter dem die kleinen Gestalten kniender Beter in die Höhe gestaffelt versammelt sind. Die 1850 für die Königliche Kunstkammer erworbene Statue soll aus dem von Friedrich Schramm und Christoph Keltenhofer signierten und 1480 datierten Hochaltar der Stadtpfarrkirche zu Ravensburg stammen. Doch hat die jüngere Forschung sie dem Bildschnitzer Michel Erhart zugewiesen, der seit 1469 in Ulm eine Werkstatt betrieb und nach dem Tode Hans Multschers (1467) die führende Rolle spielte. Hier entwickelte sich ein zeichnerisch-präziser Schnitzstil, der die plastische Einzelform herausarbeitet und unter Betonung des Konturs addiert. Erst eine Generation später, bei seinem Sohne Gregor Erhart und Tilman Riemenschneider, die beide in der Werkstatt Michel Erharts gelernt haben dürften, werden die Einzelformen dem Gestaltganzen eingebunden.

Das Motiv des Schutzmantels geht auf profane Rechtsbräuche zurück – hochgestellte Personen gewährten unter ihrem Mantel Schutz – und wurde mit der beginnenden Blüte des Marienkultes auf Maria übertragen. Seit dem 13. Jahrhundert sind Darstellungen von Mönchen unter dem Mantel Mariens überliefert, die auf diese Weise ihre besondere Marienverehrung dokumentieren. Am Beginn des 15. Jahrhunderts erscheinen auch weltliche Gestalten unter dem Mantel. Bei Michel Erharts Schutzmantel-Maria sind es offenbar die Stifter des Marienbildes, die dank ihres verdienstlichen Werkes eine ähnliche Position und einen ähnlichen Anspruch vertreten. – Eine Schutzmantelmadonna (mit Kind also) aus Kaisheim vom Sohne Gregor Erhart (1502) ging als Bestand der Berliner Museen im letzten Krieg verloren. Gegenüber der weichen, mütterlichen Fülle der Kaisheimer Schutzmantelmadonna verkörpert die Ravensburger Schutzmantelmaria mädchenhafte Spröde und eine visionäre Hoheit.

19 Niclaus Gerhaert von Leiden (um 1410–1473)

Muttergottes aus Dangolsheim, um 1465.
Nußbaumholz mit alter Fassung, H. 102 cm.

Von einer reichen, mehrschichtigen Stauung des Stoffes ist der Körper der Mutter umstellt. Der hoch und spitz geraffte Mantelsaum wird von der rechten Hand preziös gehalten. Gelassen blickt Maria auf das Kind, das sie schräg vor dem Körper hält und das sich in komplizierter Drehung aus ihrem Schleier löst. Im Rücken der Marienfigur ist kürzlich ein verschlossenes Sepulchrum entdeckt worden. Röntgenaufnahmen lassen im Inneren eine Glasampulle erkennen, die vermutlich Reliquien enthält.
Die Figurengruppe folgt einem um 1450 entstandenen Kupferstich des Monogrammisten E. S. „Maria mit dem Maiglöckchen", setzt die Komposition aber souverän in das Dreidimensionale um. Die langen, kompliziert gedrehten Haarsträhnen, der frei herabfallende Schleier und die lebensvolle Gestalt des Kinderkörpers verraten eine außerordentliche Perfektion der Schnitztechnik. Stilistisch nächstverwandt sind die Figuren des 1462 vollendeten Hochaltares der Nördlinger Georgskirche, die kürzlich Niclaus Gerhaert von Leiden zugewiesen wurden, dem bedeutendsten Bildhauer der sechziger Jahre am Oberrhein: Sierck-Grabman in Trier von 1462, Busnang-Epitaph in Straßburg von 1464, Steinkruzifixus in Baden-Baden von 1467, Deckplatte des Hochgrabes Kaiser Friedrichs III. in Wien, nach 1467. Die Muttergottes in Berlin soll aus dem Benediktinerkloster Schwarzach bei Baden-Baden stammen und kam von dort nach Dangolsheim im Elsaß. Sie dürfte im Œuvre des Bildhauers Niclaus Gerhaert von Leiden zwischen dem Nördlinger Hochaltar und dem Baden-Badener Kruzifixus anzusiedeln sein.

21 Hans Leinberger (nachweisbar 1513–1530)

Christus im Elend, um 1525.
Lindenholz, H. 75 cm.

Voll Trauer und Erschöpfung sitzt Christus nach vorne gebeugt auf einem Erdhügel, das dornengekrönte Haupt in die rechte Hand gestützt. Seine Linke ruht auf dem Oberschenkel. Ein Tuch flattert in großen Enden herab und gibt den kräftigen Körper frei.

Die Darstellung des „Christus in der Rast" oder „Christus im Elend" zeigt den Herrn am Kalvarienberg, in Erwartung des Todes, ruhend und einsam sinnend. Dieser Bildtyp war im frühen 16. Jahrhundert verbreitet wohl im Anschluß an das Titelblatt zu Dürers kleiner Holzschnitt-Passion von 1511. Formale und inhaltliche Analogien knüpfen sich zu Darstellungen des trauernden Hiob.

Hans Leinberger war der bedeutendste Bildhauer der späten Gotik in Bayern. Der Berliner Christus soll aus dem Franziskanerkloster in Landshut stammen. Weitere, teilweise eigenhändige Darstellungen dieses Bildtypus befinden sich in Sankt Nikola in Landshut, in der Stiftskirche zu Moosburg und in der Martinskirche zu Landshut. Mit seinen machtvoll-summarischen Formen weist der Berliner Christus in die Spätzeit des Künstlers. Die herkulische Körperlichkeit des sitzenden Mannes scheint die Kenntnis des berühmten antiken Torso vom Belvedere vorauszusetzen und gibt damit Zeugnis der beginnenden Renaissance.

22 Trauernde Frauen von einer Grablegung Christi

Brabant, um 1510.
Nußbaumholz, H. 105 u. 111 cm.

In kostbarer modischer Kleidung stehen die beiden Frauen einander zugewendet. Beide hielten ein Salbgefäß in der Hand, die rechte Frau rafft mit gezierter Gebärde den Saum ihres Mantels. Die Köpfe sind geneigt und schauen nach unten. Ihr Blick galt dem Leichnam Christi, der auf einem Sarkophag vor ihnen hingestellt war. Mit weiteren trauernden Personen, der Mutter Maria, dem Jünger Johannes, Joseph von Arimathia und Nikodemus bildeten die beiden Statuen das Ensemble einer Grablegung Christi, dessen figürliche Darstellung im späten Mittelalter vor allem im östlichen Frankreich außerordentlich beliebt war. Diese aus Mysterienspielen erwachsenen vielfigurigen Kompositionen setzen die älteren Formulierungen des Heiligen Grabes voraus, wo es nicht um die präzise Schilderung der Grablegung geht, sondern um eine überzeitliche Umschreibung von Tod und Auferstehung des Herrn.

Die beiden Frauen sind über eine rheinische Privatsammlung bis in die lothringische Dorfkirche Moncheux in der Nähe von Metz zurückzuverfolgen, wohin sie möglicherweise in der Französischen Revolution verschlagen worden waren. Ihr Stil, die puppenhaften Gesichter und der Reiz modischer Kleidung weisen über Lothringen hinaus nach Brabant, wo im frühen 16. Jahrhundert in Brüssel und in Mecheln große Werkstätten für den Export arbeiteten. Kleinfigurige Heilige aus diesen Werkstätten im Besitz der Skulpturengalerie (in einer Vitrine nahebei ausgestellt) machen die Zusammenhänge offenbar. Die beiden trauernden Frauen vertreten eine Stilstufe zwischen den spätgotischen Formen des Jan Borman, des Hauptmeisters der Brüsseler Produktion bis 1500 und den ausgeprägten Renaissanceformen der Reliquienbüste eines heiligen Bischofs (nahebei aufgestellt), die um 1530 entstanden sein dürfte.

23 Presbyter Martinus

Madonna, 1199.
Pappelholz mit ursprünglicher Fassung, H. 184 cm.

Auf einem kostbar geschmückten Pfostenthron sitzt die überlebensgroße Frauenfigur im Typus der Nikopoia in feierlicher Strenge, das segnende Kind auf dem Schoße. Aus dem byzantinischen Schleier (Maphorion) der Muttergottes ist eine Kappe geworden, deren abstrakte Kugelform einer Kuppel gleich das schmale Gesicht bekrönt, aus dem starr die Augen in die Ferne blicken. Feinteilig gefältelt und streng symmetrisch breiten sich die Kleider, in tiefen Höhlungen bauscht der Mantel über den Unterarmen. Kontrastreich löst sich der Knabe aus dieser Regelmäßigkeit: die Rechte hochgereckt, in der Linken die Weltkugel haltend; Schräg fällt sein Mantel über die linke Schulter und läuft in einer Diagonale über das rechte Knie herab.

Auf dem vielteilig profilierten Sockel eine vierzeilige Inschrift, die in deutscher Übersetzung lautet: „Im Jahre des Herrn, 1199, im Monat Januar / Auf dem Schoße der Mutter leuchtet die Weisheit des Vaters / Geschaffen wurde dieses wunderbare Werk zur Zeit des Abtes Petrus / Durch die Arbeit des Presbyters Martinus in hingebungsvoll dienender Liebe". Wir erfahren hier nicht nur den Namen jenes Priesters Martinus, der die Skulptur schuf, sondern auch das Jahr der Fertigstellung und den Auftraggeber. Ein Abt Petrus stand um 1200 dem Kamaldulenserkloster zu Borgo San Sepolcro in der Emilia vor. – Nicht zuletzt erfahren wir etwas von der Bedeutung, die ein solches Marienbild für die Zeitgenossen hatte: Maria ist der Thronsitz, den sich der menschgewordene Gott erwählt hat. Ihre Funktion als „Sitz der Weisheit" oder „Sedes sapientiae" wird durch die beiden Löwen unter dem Fußbrett sinnfällig. Sie spielen auf den von Löwen umstellten Salomonischen Thron an, auf dem nun der Salomo des Neuen Bundes, Christus selbst, Platz genommen hat.

24 Christkind

Siena, um 1320.
Nußbaum, H. 42,2 cm.

Der pausbäckige und lockenköpfige Christusknabe ist steil aufgerichtet mit angewinkelter, segnender Rechten. Die Linke hält den über die Brust gezogenen Mantel, der die Schultern freiläßt. Die Faltenführung des Gewandes setzt sich unter den Füßen fort und verrät damit, daß das Figürchen nicht nur als Standbild, sondern auch als Liegefigur konzipiert war.

Das Christkind, losgelöst aus den Armen der Mutter und zu einem „autonomen" Bildwerk verselbständigt, gehört zu einem Andachtsbildtypus des Christkindes in der Wiege, der in der Mystik des 14. Jahrhunderts und insbesondere in Nonnenklöstern Verbreitung fand. In Italien hatte schon Franz von Assisi 1223 das Weihnachtsfest über einer Krippe mit Ochs und Esel gefeiert. Die Franziskanermönche folgten dieser demutsvollen Idylle und legten vermutlich eines Tages eine bildliche Darstellung des Christkindes in die Krippe. Nach Epiphanias, wenn die heiligen Dreikönige dem Kind ihre Gaben gebracht hatten, wurde das Christkind in der Kirche aufgestellt, nun nicht mehr das Neugeborene in Windeln, sondern der Erlöser der Welt im Mantel und mit segnender Gebärde. Das Santo Bambino in der Franziskanerkirche Santa Maria in Aracoeli zu Rom (um 1460) existiert noch heute als hochverehrtes Gnadenbild.

Das Berliner Christkind ist das früheste überlieferte Beispiel des Santo Bambino franziskanischer Provenienz. Einige spätere Wiederholungen in Holz, Stein und Terrakotta sind bekannt und erweisen die frömmigkeitsgeschichtliche Bedeutung, die dieses Werk einst besessen haben muß. – Schon immer war es ein Rätsel, warum die thronenden Madonnen des 14. Jahrhunderts – und nur in diesem Jahrhundert – statt des sitzenden ein stehendes Kind halten. Der in dem Berliner Christkind gegenwärtige Typus eines selbständigen Andachtsbildes legt die Vermutung nahe, daß der mystische Bildtyp des „Santo Bambino" dem althergebrachten Typus der thronenden Madonna (Nikopoia oder Sedes Sapientiae) inkorporiert wurde.

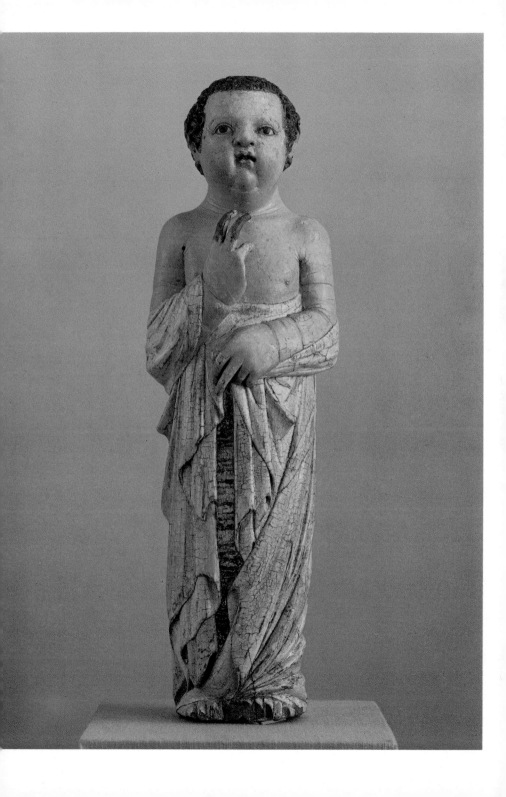

25 Giovanni Pisano (um 1250–nach 1314)

Leib Christi mit Engeln, um 1300.
Marmor, 34 × 46 cm.

Christus als Schmerzensmann in Halbfigur mit seitwärts gesenktem Haupt und übereinandergelegten Händen. Zwei Engel öffnen mit gestreckten Händen das Leichentuch und wenden klagend das Haupt ab. Diese merkwürdige Darstellung kombiniert den Andachtsbildtypus des Schmerzensmannes (Imago pietatis oder Erbärmdebild) als zeitlose Darstellung des leidenden Christus mit Engeln, die den mystischen Leib Christi vorweisen. Es ist das älteste bekannte Beispiel dieser Art.

Die abgeschrägte Form des Marmors erweist, daß das Relief als Schmuck eines Lesepultes diente. Zwei solcher Pulte von Giovanni Pisano haben sich im Dom zu Pisa erhalten, das eine mit einem Adler besetzt und damit einer bis in die Romanik zurückreichenden Tradition für den Schmuck von Lesepulten folgend, das andere mit einer dem Berliner Relief entsprechenden Darstellung des Leibes Christi zwischen Engeln, die sonst für Lesepulte nicht bekannt ist. Ein Adlerpult von Giovanni Pisano im Metropolitan Museum New York könnte das Gegenstück zu dem Berliner Pult gebildet haben. Diese beiden Paare gelten in der jüngeren Forschung als die Pulte für die Verlesung der Evangelien und der Episteln auf den Kanzeln Giovanni Pisanos im Dom zu Pisa (1302–11) und in Sant Andrea zu Pistoia (vollendet 1301). Bei dem Berliner Stück handelte es sich nach dieser These um das Epistelpult für die Kanzel in Pistoia. Doch ist weder die Verdoppelung der Pulte auf den Kanzeln noch ihre Funktion zum Verlesen der Evangelien (nach Norden) und der Episteln (nach Süden) gesichert. Wir wissen allerdings, daß auf den Kanzeln zuweilen Dialoge mehrerer Prediger geführt wurden, insbesondere zur Fastenzeit und unter Bezug auf die Passion Christi. Hier würde die Verdoppelung der Pulte und die zusätzliche Ikonographie des Schmerzensmannes eine Erklärung finden.

26 Donatello (1386–1466)

Madonna Pazzi, um 1420.
Marmor, 74,5 × 69,5 cm.

Das aus dem Palazzo Pazzi stammende Relief zeigt die Halbfigur der Muttergottes. Ihr ganz ins Profil gewendetes Haupt mit der großen Linie von Stirn und Nase über vollen Lippen und kraftvollem Kinn neigt sich zum Kind herab, das auf der Brüstung stehend nach oben strebt. Ineinander versunken, sich selbst genug sind beide Gestalten, zu einer Einheit verschmolzen, die doch aus starken Spannungen lebt. Die Statuarik der Mutter kontrastiert mit der lebhaften Bewegung des Knaben, ihr abwärtsgerichtetes Haupt begegnet gelassen dem kindlichen Empordrängen. Kraftvoll packt die stark verkürzte Linke der Mutter zu, sanft ruht ihre überlang gestreckte Rechte auf der Schulter des Knaben, fährt diagonal durch das quadratische Bildfeld und betont die Schräge der Neigung des Hauptes. Dies alles umschlossen von der Rahmung, deren perspektivische Verkürzung eine starke Untersicht suggeriert.

Der Bildhauer Donatello gehört mit dem Architekten Brunelleschi und dem Maler Masaccio zu den Bahnbrechern der Florentiner Frührenaissance. Im Rückgriff auf die Antike hat er den Menschen wieder als geistige und leibliche Einheit gestaltet. Statt der Himmelskönigin der Gotik und den anmutigen Geschöpfen seiner Zeitgenossen zeigt Donatello eine schwerblütige, an römische Matronen erinnernde Gestalt, deren Intensität der Hingabe einen Maßstab menschlicher Würde setzt.

27 Mino da Fiesole (1429–1484)

Bildnisbüste des Niccolò Strozzi, 1454.
Marmor, H. 49 cm.

Selbstbewußt ruht das leicht zur Seite gewendete Haupt auf der breiten, flach abschließenden Brustpartie mit reichem pelzverbrämten Brokatgewand. Das füllige Gesicht mit dem starken Doppelkinn, kühner Nase und kurzgelocktem Haar wird durch den Blick geprägt, der prüfend nach oben geht. In der inneren Höhlung der Büste die Inschrift: Nicolaus. Destrozis/In urbe a. MCCCCLIIII; auf dem Büstenrand die Signatur des Bildhauers: Opus Nini (statt Mino).

Niccolò Strozzi war einer der ersten großen Bankiers, gründete Niederlassungen in London, Barcelona, Avignon, Neapel, Rom, und legte damit das Fundament zur wirtschaftlichen Macht der Strozzi, die in Florenz in steter Fehde mit den Medici lagen. Seit 1434 war Niccolò Strozzi aus Florenz verbannt. Auch als Dichter hatte er Anteil an der humanistischen Kultur seiner Zeit. Die Bezeichnung „in urbe" auf dem Sockel seiner Büste besagt nicht nur, daß diese in Rom entstand, sondern gibt zugleich ein Bekenntnis zur römischen Antike. In der Tat gehen denn auch Form und Funktion dieses Bildwerkes auf römische Bildnisbüsten zurück.

Es ist ein frühes Beispiel des autonomen Porträts, Zeugnis eines diesseitig orientierten, selbstbewußten Menschengeschlechtes, das erst in der Frührenaissance wieder Thema der bildenden Kunst wurde. Mino da Fiesole, einer der führenden Bildhauer dieser Epoche, schuf etliche solcher Bildnisbüsten. In der Berliner Sammlung befindet sich jene des Florentiner Apothekers Alesso di Luca Mini von 1456, die als das erste Bildnis der Renaissance in antiker Tracht gilt.

28 Luca della Robbia (1399–1482)

Madonna, um 1450.
Gebrannter Ton, weiß glasiert, 58 × 44 cm.

Auf dem eckig gebrochenen Sockel die Halbfigur der Muttergottes, frontal, das Haupt leicht dem Kinde zugewendet, das mit der Rückenpartie aus der schön profilierten Rahmung des Tabernakels herausdrängt. Es wirft den Kopf zurück, steckt einen Finger der Rechten in den Mund und reicht mit der Linken der Mutter einen Apfel zu. In der Lieblichkeit der mädchenhaften Mariengestalt und den spontanen Gebärden des Kindes liegt der gefällige Reiz dieser Gruppe.

Lucca della Robbia war der älteste und begabteste Sproß einer fruchtbaren Künstlerfamilie. Ihm ist die Erfindung der farbig glasierten Terrakotten zu danken, die als Robbia-Arbeiten bekannt sind und von seinem Bruder Agostino und seinem Neffen Andrea in großem Stile verbreitet wurden. Werke der della Robbia waren beliebte Sammelobjekte, gehören zu den ältesten Beständen der Berliner Museen und waren in einem eigenen Raum des Alten Museums ausgestellt. Das erste „Verzeichnis von Werken der della Robbia, Majolica, Glasmalereien u.s.w." von 1835 geht auf den Bildhauer Friedrich Tieck zurück, der seit 1830 das Amt des Directors der Skulpturen-Gallerie innehatte.

29 Cosimo Tura (um 1430–1495)

Personifikation einer Tugend, um 1480.
Gebrannter Ton, H. 116 cm.

In ausgeprägter Ponderation steht die junge Frau, das kostbar frisierte Haupt auf langem Hals stolz emporgereckt und mit der Linken den Mantel über das hochgegürtete Kleid raffend. Das scharfgeschnittene Gesicht mit prüfendem Blick unter hochgezogenen Brauen und geöffneten Lippen, hinter denen die Zähne sichtbar werden, lebt von wacher Vitalität. Der rechte Arm ist in Verlust geraten. Er hielt vermutlich ein Attribut, das eine Identifizierung der Statue erlaubt hätte. Die nackten Füße und das zeitlose Gewand sprechen für eine biblische, mythologische oder allegorische Gestalt. Die entschlossene, fast aggressive Physiognomie paßt zu einer streitbaren Person,

Judith etwa mit dem Haupte des Holofernes.
Die Statue wurde mit den Bildhauern Antonio del Pollaiuolo und Domenico di Paris in Verbindung gebracht, zuletzt Cosimo Tura zugeschrieben, dem markantesten Maler Ferraras (zwei seiner Bilder in der Gemäldegalerie). Besonderes Merkmal seiner Kunst ist eine starke Plastizität, die aus seinen Bildern gemalte Skulpturen macht. Die Prägnanz der plastischen Formen und der Gesichtszüge der Berliner Frauenfigur, die Faltenstauungen über den Füßen kehren vergleichbar in den Malereien Turas wieder. So erscheint durchaus möglich, daß Tura auch in Ton gearbeitet hat.

30 Pier Jacopo Alari-Bonacolsi, gen. Antico (um 1460–1528)

Genius der Via Trajana, um 1500.
Bronze, 18,4 × 23 cm.

Die auf einem Felsstück gelagerte Göttin hält mit der Rechten ein Rad auf ihrem Knie. Ihre aufgestützte Linke weist nach unten, das Haupt wendet sich zurück und blickt empor. Haupthaare, Rad und Gewand vergoldet. Die liegende Frau ist einer Münze des Trajan mit einer ähnlichen Gestalt, dem Genius einer von Trajan erbauten Heerstraße, frei nachgebildet. Die Berliner Bronze ist im Inventar des Herzogs von Mantua (1542) erwähnt: „figura piccola de metale che sede cum una rota in mano" und nur in diesem Exemplar bekannt.

Der im Dienste der Gonzaga in Mantua tätige Medailleur, Goldschmied und Bildhauer verdankt seinen Beinamen „Antico" (mit dem er seine Arbeiten zum Teil signierte) seinem Ruhm als Antikenrestaurator und Antikenkopist, etwa des Apoll von Belvedere. Der Genius der Via Trajana zeigt in der Umsetzung eines Münzbildes in ein dreidimensionales Werk charakteristische Eigenschaften dieser Renaissance-Gesinnung, in der sorgfältigen Behandlung der Oberfläche und den Teilvergoldungen die Schulung als Medailleur und Goldschmied.

31 Flora-Büste

Umkreis des Leonardo da Vinci, um 1500.
Wachs, H. 67,5 cm.

Das Haupt neigt sich zur Seite, das feingelockte Haar ist mit einem Blumenkranz geschmückt, die abgebrochenen Arme waren ursprünglich zusammengeführt. Ein kobaltfarbener Mantel fällt über die linke Schulter und verhüllt den unteren Abschluß der Büste. Dem großflächigen Antlitz verleihen die weiten Augen, die klassisch-strenge Nase und die ausschwingenden vollen Lippen jene für Leonardo bezeichnende Mischung aus Schwermut und Sinnenfreude. Ihre Spannung gewinnt die Büste aus der zur Körperhaltung gegenläufigen Drehung des Hauptes, so daß trotz ruhender Formen der Eindruck leichter Bewegung entsteht.

Das durch Wilhelm von Bode 1909 im Londoner Handel erworbene Bildwerk wurde kurz darauf als Fälschung des englischen Wachsbossirers Richard Cockle Lucas (1800–1883) verdächtigt, der die Büste einige Zeit besaß und um 1840 offensichtlich klassizistisch geglättet hat. Inzwischen gilt die Flora wieder einhellig als eine authentische Arbeit, die mit dem ersten Aufenthalt Leonardos in Mailand (1483–99) oder seinem zweiten Aufenthalt in Florenz (1500–06) in Verbindung gebracht wird. Offen bleibt die Frage, ob es sich um ein eigenhändiges, in der Werkstatt oder im Umkreis des Künstlers geschaffenes Werk handelt.

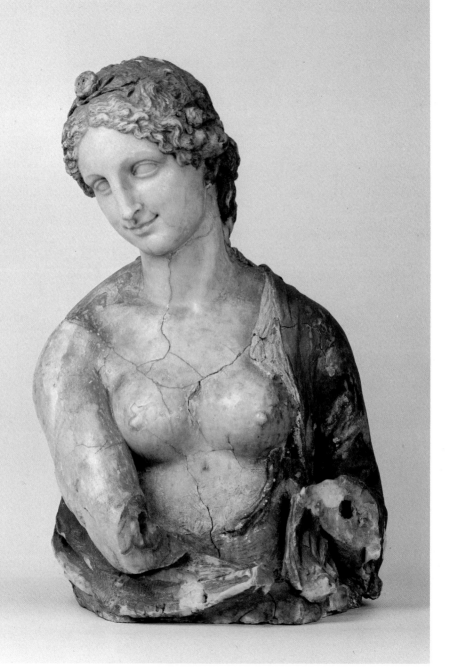

32 Jacopo Sansovino (1486–1570)

Madonna, um 1540.
Cartapesta auf Holz, 113 × 89 cm.

Maria sitzt, in Dreiviertelfigur sichtbar, und faßt mit gezierter Gebärde den Knaben, der in breiter Schrittstellung auf ihrem Schoße steht, die Linke um den Hals der Mutter legt und in der weitausgebreiteten Rechten einen Vogel hält. Seinem lebhaft emporgerichteten Haupt begegnet der elegisch geneigte, modisch frisierte Kopf der Mutter. Ihr hochgegürtetes, sparsam modelliertes und transparentes Gewand läßt einen voluminösen Körper sichtbar werden. In der Flächigkeit des Reliefs, der nuancenreichen Oberflächenbehandlung und der idyllischen Stimmung kommt eine malerische Gesinnung zur Sprache, der die zarte ursprüngliche Bemalung entspricht. Den Bildcharakter des Reliefs betont der reich dekorierte, zugehörige Rahmen.

In Sansovinos Spätstil verbindet sich der Einfluß Michelangelos und Raffaels mit den malerischen Traditionen der venezianischen Kunst. Das in mehreren Exemplaren überlieferte Madonnenrelief ist ein herausragendes Beispiel dieser Synthese.

33 Alessandro Vittoria (1525–1608)

Büste des Ottavio Grimani, um 1571.
Marmor, H. 81 cm.

Auf dem mächtigen Bruststück mit einem über der Schulter gefibelten Mantel das schmale, zur Linken gewandte Haupt. Die Züge sind von eindringlicher Schärfe: ein kahler Schädel, unter buschigen Brauen ein prüfender Blick, ein streng geschlossener Mund, der von dichtem Bartwuchs umrahmt ist. Bei großer Wirklichkeitstreue zeugt das Bildnis von Überlegenheit und Würde. Auf dem seitlich in Voluten abschließenden Sockel die Inschrift: Octavi. Grim. D. M. Procurator. Auf der Rückseite am Rande: Alexander. Victoria. F. – Ottavio Grimani (1516–1576) war seit 1571 bis zu seinem Tode Prokurator von San Marco in Venedig. Die Büste dürfte bald nach seinem Amtsantritt entstanden sein. Sie soll aus dem Besitze der Grimani stammen und gelangte mit der Venezianischen Sammlung Pajaro 1841 nach Berlin, gehört damit zu den ältesten Erwerbungen des neu gegründeten Berliner Museums.

Der Bildhauer Alessandro Vittoria, Schüler des Sansovini (vgl. Nr. 32), in Venedig und Padua tätig, ist einer der bedeutenden Vertreter des italienischen Manierismus. In der einfühlsamen Erfassung von Psyche und Charakter menschlicher Individualität liegen die besonderen Möglichkeiten dieser Kunst im Übergang von der Klassik der Hochrenaissance zum Pathos des Barock. In der Schilderung einer von Demut, Anspannung und Weisheit gleicherweise geprägten Physiognomie über der energisch strukturierten Gewandpartie gewinnt die Kunst des Alessandro Vittoria eine gültige Form.

34 Giovanni Bologna (1529–1608)

Hockender Affe, um 1570.
Bronze, H. 42 cm.

Mit aufwärts gerichtetem Kopf und neugierig-erschrockenem Blick sitzt der lebensgroße Affe auf schmaler Plinthe, das rechte Bein angewinkelt. Die linke Hand greift zum Hals, die rechte sucht tastend Halt. In seinem Kontrapost ist unmerklich das Wesen des Tieres eingefangen: das elastisch balancierende Hocken, das Abtasten der Umgebung und des eigenen Körpers, das abwägende Betrachten der Umwelt.

Der Affe stammt mit ehemals drei Artgenossen (ein Fragment im Victoria and Albert Museum London) von einem Samson-Brunnen in einem Florentiner Garten, der 1601 als Geschenk nach Spanien ging (die Marmorgruppe: „Samson erschlägt den Philister" heute im Victoria and Albert Museum London). Tierdarstellungen hat es von jeher gegeben, auch Affen als Sinnbilder des Teufels, der Laster und der Sünder. Erst im 16. Jahrhundert wird das Tier als eigenes, dem Menschen zugeordnetes Wesen erfaßt. In der bildenden Kunst ist Giovanni Bolognas Bronze das erste Zeugnis dieser neuen Einschätzung von Natur und Tierreich, zugleich einer genialen Erfassung von Verhalten und Physiognomie des Animalischen und ihrer Umsetzung in ein allansichtiges Kunstwerk von höchster Qualität.

35 Gian Lorenzo Bernini (1598–1680)

Putto mit Delphin, um 1620.
Marmor, H. 44,8 cm.

Der nackte Knabe sitzt auf dem Rücken des Delphines, der ihm in die rechte Wade beißt. Schmerzvoll und erschrocken fährt der Kopf des Knaben zurück, seine Linke versucht den Kopf des Tieres fortzuschieben. Der Delphin galt seit der Antike als ein besonderer Freund des Menschen und insbesondere der Kinder. Deshalb spiegelt das Gesicht des Kindes nicht nur körperlichen, sondern auch seelischen Schmerz. Dieser psychologisierende Aspekt verleiht der Gruppe ihren besonderen Reiz.

Ein Frühwerk des Bildhauers und wohl zusammengehörig mit dem mit einem Drachen spielenden Putto in Florentiner Privatbesitz, der Pietro Bernini, dem Vater des Gian Lorenzo, zugewiesen wird. Die Funktion der beiden Werke ist unbekannt. Die rechte Faust des Knaben streckt den Zeigefinger und den kleinen Finger aus und bildet so das Zeichen der unheilabwehrenden „corna". Drache und Delphin sind die Wappentiere der rivalisierenden Geschlechter der Borghese und Barberini. Dies spricht für eine allegorisch-moralisierende Deutung der beiden Puttengruppen im Rahmen machtpolitischer Auseinandersetzungen in Rom zur Zeit der Päpste Paul V. aus dem Hause Borghese (bis 1621) und Urban VIII. aus dem Hause Barberini (seit 1623).

36 Engel

Rom, 1620/30.
Kastanienholz, H. 128 cm (ohne erhobenen Arm).

Der Engel in Gestalt eines schöngelockten Knaben kniet auf einer Wolke nieder, hebt die Rechte hinweisend empor und schaut mit dem zurückgewendeten Haupt in die Tiefe, wohin auch seine Linke zeigt. Das lange, hochgegürtete Gewand ist mit goldenen Sternen besetzt, bewegt flattert der Mantel über Schulter und Arm.

Das von einem bislang unbekannten Künstler gearbeitete Werk gehört in den Umkreis des römischen Bildhauers Francesco Mochi, setzt dessen Dramatik frei-lich in weichere Formen um. Die Gebärden des Engels verweisen auf eine Vermittlung zwischen Himmel und Erde. Er dürfte, mit einem im Gegensinn angeordneten zweiten Engel zuseiten eines Altares angebracht gewesen sein und auf ein Bild der Muttergottes in der Höhe gewiesen haben. Die abwärts gerichtete linke Hand könnte, in Analogie zu ähnlichen Darstellungen, der Schlange der Häresie gegolten haben, die sich einst zu Füßen des Engels befand.

37 Bernardino Cametti (1669–1736)

Diana als Jägerin, um 1720.
Marmor, 190 cm (mit Sockel 258 cm).

Die Göttin eilt mit weitausholendem
Schritt, ihr Oberkörper ist zurückgewen-
det, der Kopf in den Nacken geworfen. In
der Linken hält sie einen Bogen, die
Rechte weist nach hinten, vermutlich
dorthin, wo das erlegte Wild zu suchen ist.
Ein Jagdhund springt an ihr hoch. Die
zwischen 1717 und 1722 entstandene
Gruppe schließt locker an die berühmte
Artemis von Versailles an, vertritt in der
erregten Bewegung und in der deklama-
torischen Eindringlichkeit des Zeigens
barocke Traditionen im Anschluß an Bernini. Der hohe Felsensockel, dicht mit
Pflanzen bedeckt und vorn mit der Maske
eines bärtigen Mannes als Wasserspeier
besetzt, kam erst später, 1754, durch den
Bildhauer Pascal Latour hinzu. Die Statue (samt Sockel) befand sich bis 1896
in dem in das antike Theater des Mar-
cellus eingebauten Palazzo Orsini in
Rom. Sie war vermutlich von Filippo Be-
rualdo Orsini in Auftrag gegeben worden,
zumal in der Physiognomie der Diana
Porträtzüge seiner zweiten Ehefrau (Gia-
cinta Ruspoli) erkannt worden sind, stand
aber noch 1733 in der Werkstatt Camettis
und wurde möglicherweise erst mit dem
neuen Sockel, nach 1754 also, im Palazzo
Orsini aufgestellt. Die Räume dieses Palazzo bewohnte 1816–23, als preußischer
Gesandter beim Römischen Stuhl, Bert-
hold Niebuhr, der Begründer einer preußischen Geschichtsforschung.

38 Pierre Puget (1620–1694)

Himmelfahrt Mariae, 1664/65.
Marmorrelief, 125 × 92,5 cm.

Über einem schräg in die Tiefe gestellten Sarkophag mit geöffnetem Deckel schwebt Maria mit ausgebreiteten Armen auf einer Wolke. Ihr Blick geht empor, wo drei Putten mit Krönungsinsignien hantieren. Zwei große, flügellose Engel halten eine Liliengirlande über das Grab, zugleich liebkost der links auf dem Sarkophag kniende einen aus der Tiefe heranschwebenden geflügelten Engel, während der andere den Gürtel der Jungfrau herabläßt. Unter den Füßen Mariens geflügelte Engelsköpfchen (Cheruben), deren einer den Fuß Mariens küßt. Links schmiegt sich ein Putto an ihr Knie. Das Relief ist unten links am Sarkophag signiert: P. P. F. Gal. (Pierre Puget fecit Gallicus).
Pierre Puget, in Marseille, Toulon, Rom und Genua tätig, war einer der bedeutendsten Repräsentanten eines französischen, stark von römischen Bildhauern im Umkreis Berninis beeinflußten Hochbarock. Trotz zahlreicher malerischer und stilistischer Anleihen gelingt Puget in der Schönlinigkeit der großen Engelsgestalten, in der beherrschenden Ruhe der Marienfigur und in der feinen, dünnen, teilweise durchsichtigen Marmorbearbeitung ein Werk von unverwechselbarer eigener Kraft. Das Marienrelief wurde während der Genueser Jahre Pugets vom Herzog von Mantua bestellt und fand im Palazzo Ducale zu Mantua Aufstellung, vermutlich als Altarrelief der Palastkapelle. Im Jahre 1721 erwarb es ein Graf von der Schulenburg, Feldmarschall in venezianischen Diensten, über dessen Familie das Relief nach Schloß Hehlen bei Holzminden wanderte. Danach geriet das einst hochgerühmte Werk in Vergessenheit, wurde erst 1966 wiederentdeckt und konnte für die Berliner Skulpturengalerie erworben werden.

39 Joseph Anton Feuchtmayer (1696–1770)

Maria aus einer Himmelfahrt, um 1730.
Lindenholz, H. 162 cm.

Schlank und mit stark durchschwunge-
nem Körper steht Maria auf einer Wolke.
Eng schmiegt ihr Gewand sich an und suggeriert Aufwärtsschweben. Das zur Seite
gewendete Haupt blickt mit fast geschlos-
senen Augen nach unten, die gespreizten
Hände fassen zum Herzen und zur Hüfte.
Überweltliches verbindet sich einem modisch raffinierten Schönheitsideal, Sinnenfreude einer Ornamentalisierung der
Gewandsäume und des Kopfputzes.
Herkunft und Deutung der Statue sind
nicht gesichert. Man hat an eine Immacu-
lata gedacht, die jungfräulich Empfan-
gende und Empfangene, die den Drachen
bekämpft. Doch fehlt der Drache. Auch
eine Deutung der Statue als Maria einer
Lactatio wurde vorgeschlagen: den hl.
Bernhard von Clairvaux mit ihrer Milch
ernährend, als Mittelstück eines Bern-
hardsaltares, wie er von Feuchtmayer im
Münster zu Salem literarisch überliefert
ist. Doch fehlt einer solchen Lactatio hier
die Anschaulichkeit. Am plausibelsten
wäre eine Darstellung der Himmelfahrt
Mariens, von Engeln emporgetragen und
zu den Aposteln niederschauend. Ein in
Format und Stil eng verwandter Engel im
Landesmuseum Karlsruhe könnte zuge-
hören.
Joseph Anton Feuchtmayer, eine Generation älter als Ignaz Günther, aber nur
wenig früher verstorben, war am Bodensee ansässig. Die Ausstattung der Wall-
fahrtskirche in Birnau ist sein bekannte-
stes Werk. Strittig wie die Deutung der
Berliner Marienfigur ist auch ihre Datierung, die zwischen 1720 und 1760
schwankt. Für eine Frühdatierung sprechen die präzisen, scharfgratigen Faltenformen, die noch den Traditionen des
Spätbarock verpflichtet sind.

40 Ignaz Günther (1725–1775)

Erzengel Michael, um 1750.
Lindenholz, H. 95 cm.

Mit weitem Schritt und gebreiteten Flügeln stürmt der Engel auf den Teufel nieder, der auf eine Wolke gestürzt ist und mit verzerrter Grimasse aufblickt. In der ausholenden Rechten des Engels das gezackte Schwert, in der Linken ein kleiner ovaler Schild mit der lateinischen Übersetzung des hebräischen Namens des Erzengels Michael: Quis ut deus (Wer ist wie Gott). Die Gesamtkonzeption der Gruppe in ihrer Vertikale des Engels und Horizontale des Teufels und ihrer Berechnung auf starke Untersicht spricht dafür, daß es sich um die einstige Bekrönung einer Kanzel handelt, hoch oben auf dem Schalldeckel.

Die kürzlich auf ihre ursprüngliche Fassung freigelegte Skulptur ist ein bislang weitgehend unbeachtet gebliebenes Hauptwerk von Ignaz Günther, dem bedeutendsten Vertreter des bayerischen Rokoko. Im Schwung der raumgreifenden Bewegungen, in der schwebenden Anmut des Engels und der dekorativen Sockelfunktion des Teufels, nicht zuletzt in den lichten Farben der Bemalung kommt der Formenreichtum dieser preziösen Kunst vorzüglich zur Geltung.

41 Johann Gregor van der Schardt (um 1530–nach 1581)

Büste des Willibald Imhoff, 1570.
Terracotta, H. 81,5 cm.

Die halbfigurige Büste, überlebensgroß, auf polygonalem Sockel, stammt aus der Hauskapelle der Nürnberger Patrizier: „Item des herrn Willibalden Imhoffs seeligen biltnuss vnd lebendige förmliche Gestalt biss uf den halben leib von Meister Jan gemacht...", lautet der Eintrag im Imhoffschen Nachlaßinventar von 1580. Aus dem Haushaltsbuch Imhoffs ergibt sich als Entstehungszeit das Jahr 1570. Über mächtigem, kostbar gekleidetem Körper sitzt ein schmaler Kopf mit schütterem Haar und langem lockigen Bart, seitwärts gewendet. Die Blicke gehen nach unten, zur angewinkelten linken Hand, die einen Ring hält. Willibald Imhoff (1519–80), Enkel des Humanisten Willibald Pirkheimer, war erfolgreicher Handelsherr und Sammler von Münzen, Medaillen und Schmuck, auch von Gemälden und Zeichnungen Dürers. In seiner Eigenschaft als Kunstkenner läßt er sich denn auch darstellen: kritisch prüft er ein Objekt seiner Sammlung.

Zehn Jahre später ließ sich vom gleichen Künstler auch die inzwischen verwitwete Ehefrau porträtieren, im gleichen Material und in gleicher Bemalung, also offenbar als Gegenstück gedacht. Dennoch ist die Büste erheblich kleiner, in der Kopfhaltung fast frontal; die verschränkten Arme halten ein Gebetbuch. Das Büstenpaar ist ein aufschlußreiches Dokument des Rollenverständnisses von Mann und Frau. – Der Bildhauer „Jan" van der Schardt, in Rom geschult, war seit 1569 für Kaiser Maximilian II. in Wien tätig, von 1570–1581 in Nürnberg, wo er für Willibald Imhoff, aber auch für König Friedrich II. von Dänemark arbeitete. Sein Stil kommt in der Büste des Willibald Imhoff in kongenialer Weise zur Sprache: Ein scheinbarer nüchterner Realismus birgt die Kennzeichnung einer von Kunstsinn und altersweisem Wägen geprägten Persönlichkeit, die in ihrer psychischen Durchdringung den Manierismus in seiner subtilsten Form vertritt.

42 Leonhard Kern (1588–1662)

Adam und Eva, 1646.
Elfenbein, vollrund gearbeitet, H. 23 cm.

Auf ovaler Sockelplatte sitzt der Urvater Adam in lässiger Haltung auf einem Baumstamm, nackt, von einem Feigenblatt bedeckt. Mit der Linken liebkost er ein Windspiel, die Rechte reicht einen Apfel Eva zu, die in starker Drehung des Oberkörpers herantritt und die Rechte (mit einem weiteren Apfel) um seinen Hals legt. Zwischen den Füßen Adams eine Schildkröte.

Die Elfenbeingruppe stammt aus der Kurfürstlich-Brandenburgischen Kunstkammer. Da der Adam die Bildniszüge des Großen Kurfürsten im jugendlichen Alter trägt und die Schildkröte als Sinnbild der Liebe und Häuslichkeit gedeutet werden kann, handelt es sich vermutlich um ein Brautgeschenk zur Vermählung des damals 26jährigen Kurfürsten mit der holländischen Prinzessin Louise Henriette von Oranien. Die alttestamentliche Thematik des Sündenfalles, merkwürdig genug für eine Hochzeitsgabe, verbindet sich mit einem „versteckten" Porträt, wie es seit der Gotik und im Barock mehrfach zu beobachten ist (vgl. hierzu Kat. 46). Der Sitz des Adam ist mit dem ligierten Monogramm des Künstlers LK bezeichnet.

Leonhard Kern, Bildhauer in Stein, Holz und Elfenbein, betrieb seit 1620 eine produktive Werkstatt in Schwäbisch Hall und schuf vor allem Kleinbildwerke mit religiöser, allegorischer und mythologischer Thematik. Möglicherweise aufgrund der Anfertigung dieser Adam-und-Eva-Gruppe erhielt der Künstler 1648 das Patent eines Kurfürstlich-Brandenburgischen Bildhauers.

43 Gottfried Christian Leygebe (1630–1683)

Der Große Kurfürst als Drachenkämpfer, 1680.
Eisenguß, punziert und ziseliert, H. 27,7 cm.

Mit dem Speer in der erhobenen Rechten sprengt der antik gekleidete Kurfürst von Brandenburg (1620–1688) gegen den dreiköpfigen Drachen, der sich unter dem Leib des Pferdes windet und emporzüngelt. Ziegen-, Löwen- und Drachenkopf des Untieres spielen auf die vielköpfige Chimäre an, die nach der griechischen Sage der Heros Bellerophon auf dem geflügelten Pegasus in Lykien bezwang. Das an einem Bande über der rechten Hüfte getragene Medaillon des Hosenbandordens mit dem hl. Georg zu Pferde weist auf Brandenburgs politische Unterstützung des später – unter William I. – protestantischen England. An der Satteldecke die verschlungenen Initialen FWC = Friedrich Wilhelm Churfürst sowie vorn auf der Pferdebrust das abgekürzte Wappen Brandenburgs. Die Bezüge auf Bellerophon und den Ritterheiligen Georg sind bezeichnende Formen barocker Herrscherapotheosen.
Das kleinformatige Denkmal ist auf dem Sockel bezeichnet: Gottf. Leygebe, 1680. Der Künstler war seit 1668 als Kurfürstlicher Münzschneider am Berliner Hof tätig. Über die langwierige Arbeit an diesem „Stück Eysen mit Sr. Churfürstl. Durchlaucht Bildnis zu Pferde" berichtet der Künstler selbst, „daß es über 3 Jahre continuirlich Zeit erfordert hat, das ich dabey meine Gesundheit (mit Antrücken des Leibes) verlohren".

44 Christoph Weyditz (um 1500–1559)

Venus, um 1550.
Bronze, feuervergoldet, H. 12,9 cm.

Die nackte Göttin steht mit stark durchgeschwungener Hüfte und blickt mit seitlich gewendetem Haupt zum angewinkelten linken Arm, wo die Hand ursprünglich ein Attribut hielt, vermutlich einen Spiegel.

Christoph Weyditz, um 1500 in Straßburg als Sohn des Bildhauers Hans Wydyz geboren, ließ sich 1532 als Bildhauer in Augsburg nieder. Gegen den Willen der Zünfte war er auch als Goldschmied tätig. Nur eine seiner Goldschmiedearbeiten, ein Dolchgriff mit dem figürlichen Schmuck einer „Venus Marina" im Historischen Museum Dresden, ist signiert: Christof Weyditz in Augusta, Vindelica. Faciebat. Diese gesicherte Arbeit bildete den Ausgangspunkt für die Zuweisung weiterer Werke, Kleinplastiken und Schaumünzen, darunter das Berliner Figürchen, ein Spätwerk des Künstlers. Im schön geschwungenen Kontur und der Tendenz zur Allansichtigkeit präsentiert sich die Statuette als ein typisches Kunstkammerstück in den Formen eines von Italien beeinflußten Manierismus.

45 Monogrammist P. E.

Kleopatra, 1532.
Alabaster auf Schiefer, 22,4 × 15,9 cm.

Die nackte Frauengestalt stützt sich mit schmerzvoll erhobenem Haupt vornübergebeugt auf einen mit Renaissance-Grottesken verzierten Altar, in den ein Schrifttäfelchen mit der Bezeichnung: Cleopatra. 1532. P. E. eingelassen ist. Die Linke hält den Mantel in langer Bahn durch die Beine und hinter dem Körper hochgezogen. Unter dem linken Spielbein eine Schlange, die eben die junge Frau in die Wade beißt. Das kleinformatige „Kunstkammerstück", das seit 1689 in der Brandenburg-Preußischen Kunstkammer nachzuweisen ist, vertritt einen in der Renaissance beliebten Typus antiker Tugendhelden, wobei sich bei den Frauengestalten moralische Vorbildlichkeit mit vollendeter Schönheit verbinden ließ.

Die Darstellung geht auf ein italienisches Marmorrelief im Metropolitan Museum New York zurück, das fälschlich die Signatur des Bandinelli trägt, dem Juan Maria Padovano genannt il Mosca (tätig um 1515–1530 in Padua und Venedig) zugeschrieben wird und statt der Kleopatra eine Eurydike zeigt. Ein weiteres Relief des Padovano genannt il Mosca mit Antonius und Kleopatra in der Skulpturengalerie zeigt den gleichen Figurentypus der Frauengestalt. – Der Künstler, der sich unter dem Monogramm P.E. verbirgt, ist nicht identifiziert. In Betracht kommt ein Steinschneider Peter Ehemann, der zwischen 1510 und 1558 in Nürnberg tätig war, von dem es aber keine gesicherten Werke gibt.

46 Martin Zürn (um 1595–nach 1665)

Heilige Sebastian und Florian, 1638–1639.
Lindenholz mit alter Fassung, H. 286 cm u. 287 cm.
Fahnen aus Kupferblech. – Abb.: Hl. Florian.

Die beiden überlebensgroßen Ritterheiligen in Harnisch und Mantel flankierten einst den Hochaltar der Pfarrkirche St. Jakob zu Wasserburg am Inn. Der hl. Sebastian, Patron gegen die Pest, in antikisierender Rüstung, hält in der Rechten ein Banner mit Feuerzungen, hielt in der Linken ehemals einen Pfeil (im 19. Jahrhundert durch einen Degen ersetzt). Der hl. Florian, Patron gegen Feuersgefahr und Wassernot, in gotisierender Renaissance-Rüstung, hält in der Linken ein Banner mit dem Andreaskreuz, hielt in der Rechten eine Kanne (im 19. Jahrhundert durch ein Schwert ersetzt), mit welcher er ein brennendes Gebäude zu seinen Füßen löschte (im 19. Jahrhundert entfernt). Die Physiognomien der beiden Heiligen enthalten „versteckte Porträts": Florian trägt die Züge Kaiser Ferdinands III., auf den auch der „Augustus-Panzer" hinweist, der hl. Sebastian die Züge des Kurfürsten Maximilian I. von Bayern. Die Verehrung der beiden Heiligen, die in den Nöten des Dreißigjährigen Krieges von besonderer Bedeutung waren, verbindet sich mit einer Rückversicherung gegenüber den beiden Häuptern der „Katholischen Liga".

Martin Zürn ist Glied einer fruchtbaren Bildhauersippe des Hans Zürn d. Ä. und seiner sechs Söhne, die den süddeutschen Raum mit Skulpturen versorgten. Ihre Werke vertreten eine bodenständige Kunst, die weitgehend unberührt bleibt von den Neuerungen der italienischen Renaissance. In den ebenso kraftvollen wie sensiblen Gestalten lebt die Tradition spätgotischer Schnitzkunst in verwandelter Form weiter.

47 Fortuna

Augsburg, um 1520.
Lindenholz, H. 55 cm.

Eine gedrungene nackte Frau balanciert mit vorgestelltem linken Bein auf einer Kugel. Ihr Oberkörper ist leicht nach links gebogen, das mit der Haube bedeckte Haupt blickt nach unten. In der erhobenen Rechten hält die Frau ein vielteilig gefälteltes Band, das hinter ihrem Oberarm hindurch über den Körper schwingt und über den linken Unterarm geschlungen ist. Die linke Hand weist zur Brust. Alle Rundungen des Körpers sind kraftvoll modelliert und stehen in seltsamer Diskrepanz zum labilen Stand der Figur auf der Kugel.

Die Statuette personifiziert die Allegorie des Glücks, eine Darstellung, die schon in der Antike durch das Motiv der unberechenbar rollenden Kugel gekennzeichnet wurde, auf der es zu balancieren galt. Zugleich ist Fortuna die Spenderin von Leben und Glück, worauf der Griff der Hand zur Brust als Quelle des Lebens verweist. In der Renaissance wird die Fortuna zuweilen mit einem Tuch versehen, aber auch mit einem Segel: Nach Auffassung der Zeit ist der Lauf des Glücks beeinflußbar, wenn man den günstigen Wind zu nutzen weiß. Auch in der Berliner Statuette verrät das Flattern des Bandes, daß es nicht nur als dekoratives Versatzstück zum Decken der Blöße verwandt wurde, sondern das Motiv des Segels assoziiert. – Die Fortuna ist das Werk eines Augsburger Künstlers im Umkreis der Hans Daucher und Hans Schwarz, von dem weitere Arbeiten sich bislang nicht nachweisen lassen. Die Statuette war vermutlich das Modell für eine Brunnenfigur.

48 Artus Quellinus (1609–1668)

Simson und Delila, um 1640.
Terracotta, H. 37,5 cm.

Auf länglicher Sockelplatte hingestreckt die herkulische Figur des Simson, mit einem Fell bekleidet, Oberkörper und Haupt an die Knie der auf einer Bank sitzenden Delila gelehnt, die ihm eine große Strähne seines Haupthaares abschneidet. Rechts am Boden der Eselskinnbacken, mit dem Simson die Philister erschlug. Die Darstellung zitiert die biblische Erzählung von dem Geweihten Gottes, der seine übermenschliche Kraft dem ungeschorenen Haarwuchs verdankte, bis seine Frau Delila ihm im Schlafe sieben Locken abschnitt und seinen Feinden übergab (Buch der Richter 13–16). So, wie Simson, der den Löwen zerriß und die Tore von Gaza aufbrach, alttestamentliches Vorbild Christi (Höllenfahrt und Auferstehung) war, gilt Delila seit der Renaissance als Beispiel der „Weiberlist". Die Bilderfindung der Gruppe orientiert sich an einem Bilde des Peter Paul Rubens mit der Allegorie von Weibermacht und Weiberlist (Privatbesitz, um 1610).

Die Terracotta, von der eine zweite Ausfertigung sich in den Brüsseler Musées Royaux des Beaux-Arts de Belgique befindet, galt als Arbeit eines Werkstattgenossen des Quellinus. Eine kürzlich durchgeführte Freilegung von der dicken steingrauen Übermalung hat ein eigenhändiges Werk zurückgewonnen. Artus Quellinus d. Ä. war das profilierteste Mitglied einer fruchtbaren Antwerpener Bildhauerfamilie des Barock. Die auf Allansichtigkeit berechnete Arbeit dürfte bald nach seiner Rückkehr aus Rom (1639) entstanden sein. Der mächtige Rückenakt des schlafenden Simson verrät die Kenntnis des antiken Torso vom Belvedere, der im Barock als ein Sinnbild der Bildhauerkunst verwendet wurde.

49 Edmund Bouchardon (1698–1762)

Bildnisbüste des Barons Stosch, 1727.
Carrarischer Marmor, H. 85 cm.

Das kräftige Haupt ist hoch aufgerichtet und leicht nach links gewendet, der Blick unter zusammengezogenen Brauen in die Ferne gerichtet. Die breite Brust mit angeschnittenen Armen ist nach Art römischer Imperatorenbildnisse bis auf ein Mäntelchen (Paludamentum) entblößt, das auf der linken Schulter durch eine Schließe mit dem Bild der Eule zusammengehalten wird. Die Büste, am linken Armansatz signiert: Edmund Bouchardon faciebat. Romae, trägt auf dem Indextäfelchen den Namen des Dargestellten und auf dem Büstenfuß sein Alter samt Datum: An. Aetat. XXXVI. MDCCXXVII. Baron Philipp von Stosch, hier in seinem 36. Lebensjahr porträtiert, war ein leidenschaftlicher, von Winckelmann hochgeschätzter Antikensammler, der in Rom das berühmteste Gemmenkabinett seiner Zeit besaß. Ein Stich Pier Leone Ghezzis von 1725 zeigt ihn als Kunstkenner inmitten der römischen Antiquare, begleitet von jener Eule, die als Sinnbild der Künste und Wissenschaften auch die Berliner Büste ziert. Stoschs Sammlungen gelangten später in den Besitz Friedrichs des Großen und sind heute noch teilweise Bestand der Berliner Museen.

Im Œuvre Bouchardons, der dieses Bildnis während seines Aufenthaltes als Preisträger der Académie de France in Rom schuf, schließt die Büste Stoschs die Reihe der Antikenkopien ab und eröffnet eine Periode selbständiger Auseinandersetzungen mit dem Altertum. In seinen späteren Jahren avancierte Bouchardon zu einem der am meisten beschäftigten Bildhauer am Hofe Ludwigs XV. von Frankreich.

50 Emanuel Bardou (1744–1818)

Büste Immanuel Kant, 1798.
Marmor, H. 46 cm.

Seitlich abgeflachtes Büstenstück mit antiker Drapierung, auf faltigem Hals das frontale, fast karg gearbeitete Haupt des Philosophen: ein gedrungener Kopf mit breiten Backenknochen, spärlichem Haar über der wuchtigen Stirn und weit geöffneten Augen ohne Markierung der Pupillen. Vorn bezeichnet: Emanuel Kant – auf der Rückseite: E. Bardou fecit 1798. Die realistischen Züge gehen möglicherweise auf eine Begegnung des Künstlers mit Kant zurück. Ihre eigene klassizistische Note hat die Büste insofern, als die zeitgenössische Zopf-Perücke durch eine Aristoteles-Frisur ersetzt ist und so die Philosophie Kants in eigener Weise interpretiert wird. Der Bildhauer Emanuel Bardou war in der Berliner Hofbildhauerwerkstatt durch Sigisbert Michel ausgebildet worden und seit 1775 als Modelleur an der Königlichen Porzellanmanufaktur tätig. Das häufigste Thema seiner Kunst waren Büsten und Reiterstatuetten Friedrichs des Großen.

Im Jahre 1801 modellierte der Schadow-Schüler Friedrich Hagemann Kant in Königsberg nach dem Leben, nicht ohne Rückgriffe auf Bardou. Die Büste Bardous befand sich später im Besitze von Christian Daniel Rauch und hat für dessen Statue Kants am Reiterdenkmal Friedrichs des Großen ehemals Unter den Linden sowie für das weitgehend mit dieser Statue übereinstimmende Kant-Denkmal ehemals in Königsberg als Modell gedient. Hagemanns Kant-Büste legte Schadow für seine Kant-Herme in der Walhalla von 1807 zugrunde.

51 Reinhold Begas (1831–1911)

Amor und Psyche, 1857.
Marmor, vollrund gearbeitet, 97 × 124 cm.

Gott Amor ist rücklings auf einen pflanzenbewachsenen Erdhügel hingelagert, sein angehobener Oberkörper fügt sich in leichter Biegung der Kurvung des Sockels ein und ruht auf den ausgebreiteten Flügeln. Von links schreitet Psyche heran, den nackten Oberkörper vorgebeugt, in der erhobenen Linken die Öllampe, in der abgespreizten Rechten einen Dolch. Das Thema ist dem spätantiken „Goldenen Esel" des Apulejus entnommen, wo platonische Vorstellungen und sepulkrale Motive zu einem Märchen von der Liebe des jungen Gottes zu der irdischen Schönen verarbeitet wurden. Begas bringt jenen „fruchtbaren Augenblick" zur Darstellung, da Psyche die Gestalt des Geliebten zum ersten Mal erblickt, eben noch bereit, das vermeintliche Monstrum umzubringen, nun in freudigem Erstaunen über die vollendete Gestalt ihres Gegenübers. Die Finger der Rechten öffnen sich, gleich wird ihnen der Dolch entgleiten.
Die Amor-und-Psyche-Gruppe ist ein Frühwerk von Begas. Das Gipsmodell wurde 1854 auf der Berliner Akademie-Ausstellung vorgeführt, wo der Künstler noch als Schüler Rauchs firmierte. Deutlich orientierte er sich an Werken von Gottfried Schadow: der schlafende Amor greift auf den im Oberkörper angehobenen und zurückgewendeten toten Knaben auf dem Sarkophag des Grafen von der Mark (1790) zurück. Im Jahre 1856 ging Begas als Stipendiat der Berliner Akademie nach Rom, wo er in der Werkstatt Emil Wolffs die Amor-und-Psyche-Gruppe in Marmor ausführte. Hier gewann er Anschluß an die Maler Feuerbach, Böcklin, Lenbach und Kontakt zu Jean Baptiste Carpeaux (1827–1875), den Repräsentanten des französischen Neubarock. Bereits unmittelbar nach der Fertigstellung der Marmorgruppe schuf Begas Werke, die einen Wandel zeigen: Pan, die verlassene Psyche tröstend, Pan als Lehrer des Flötenspiels. Die klassische Harmonie der Begegnung mit der apollinischen Schönheit des göttlichen Geliebten weicht einer Konfrontation mit Dionysos – und das dionysische Element sollte von nun an als „Neubarock" die Kunst Reinhold Begas' und seiner zahlreichen Schüler prägen.

114

52 Albert-Ernest Carrier-Belleuse (1824–1887)

Confidence, 1865/70.
Marmor, 66,5 × 46 cm.

Auf breiter, reich profilierter Bank sitzen zwei junge üppige Frauen aneinandergeschmiegt. Die linke hat die Hände über der Schulter der Gefährtin gefaltet, die andere, auf der Rückseite der Bank kauernd, stützt sich mit dem linken Arm und hielt ursprünglich in der ausgestreckten Rechten eine Lyra. Die Köpfe mit dem kunstvoll frisierten, blumengeschmückten Haar sind aneinandergelehnt, die Frau mit der Lyra scheint mit geöffnetem Mund etwas mitzuteilen oder vorzusingen, dem die andere niederblickend und mit leisem Lächeln lauscht. Hierauf bezieht sich die Inschrift am Sockel: Confidence.

Das Thema der Freundschaft oder inniger Vertrautheit in Gestalt zweier junger Frauen begegnet vielfältig in der bildenden Kunst seit dem späten 18. Jahrhundert. Danneckers „Harmonie" (um 1790) oder Schadows Prinzessinnengruppe von 1797 gehören ebenso in diesen Bereich, wie Personifikationen der Künste, etwa Overbecks „Italia und Germania" von 1828 als Zeugnis Nazarenischer Gesinnung. Als Personifikationen der Künste dürfte auch die Berliner Gruppe zu deuten sein. Die Beschreibung einer Arbeit des Carrier-Belleuse in einem Verkaufsangebot von 1892 als „jolie groupe de jeunes femmes assises: la Poesie et la Musique" dürfte sich auf dieses Werk beziehen. Eine (vermutlich spätere) Terracotta der Gruppe in Londoner Privatbesitz (mit der Lyra). Eine ähnlich komponierte Gruppe mit gleichem Titel von Jean Baptiste Carpeaux (um 1874) im Museum zu Valenciennes. – Carrier-Belleuse, Schüler von David d'Angers, war einer der Repräsentanten des französischen Neubarock zur Zeit des zweiten Kaiserreiches. Seine gefälligen und fülligen Gestalten gewinnen durch die Virtuosität des Kompositionellen und die Perfektion der Marmorbehandlung ihren künstlerischen Rang.

CONFIDENCE

53 August Kraus (1868–1934)

Römisches Mädchen auf dem Korso, 1904
Bronze, H. 50 cm.

In strenger Frontalität schreitet die üppige Frauengestalt mit stolz erhobenem Haupte aus. Die Rechte rafft das modisch geschnittene Kleid über der Hüfte und gibt die Plastizität des Körpers preis, die Linke fällt lotrecht herab und verwandelt so die Aktion der Bewegung in ein starres Standmotiv. In der Mischung aus abweisendem Hochmut und vitaler Provokation, feinornamentierter und plissierter Kleidung, die dennoch Nacktheit suggeriert, Ausschreiten und Verharren liegt der artifizielle Reiz dieser Statuette.
Der Bildhauer August Kraus war 1891 bis 1898 Meisterschüler von Reinhold Begas. Für das Hauptwerk seines Lehrers, das Nationaldenkmal Kaiser Wilhelms I., ehemals vor dem Berliner Schloß, schuf er gemeinsam mit August Gaul die vier Löwen am Sockel, die heute, ihrer Trophäen beraubt, im Tierpark Friedrichsfelde (Berlin-Ost) erhalten sind. Im Jahre 1900 erhielt August Kraus ein fünfjähriges Rom-Stipendium. Hier geriet er unter den Einfluß des von Adolf von Hildebrand und Hans von Marées geprägten Neu-Klassizismus, der Front gegen den Wilhelminischen Neubarock machte. Die schreitende Römerin von 1904 ist ein bezeichnendes Werk dieser Auseinandersetzung: der Figurentyp schließt sich gemäß dem neuklassizistischen Formideal der Gestalt einer griechisch-archaischen Kore an, der malerische Reiz der Oberfläche bleibt noch ganz dem Neubarock verpflichtet, verbindet sich darüber hinaus im schönlinigen Kontur mit Elementen des Jugendstils.

Tafelverzeichnis

P. Metz, Bildwerke, Nr. 193 u. 194. – Ausstellungskat. Rhein und Maas. Kunst und Kultur 800–1400. Köln 1972, C. 8.
Inv. Nr. 8505–06

11 Altärchen mit der Kreuzabnahme Christi

Trier, Mitte des 11. Jahrhunderts.
Birnbaumholz, H. 26,7 × 17,7 cm
Lit.: Th. Demmler, Großplastik, S. 3 f. – P. Metz, Bildwerke, Nr. 177. – R. Wesenberg, Frühe mittelalterliche Bildwerke. Die Schulen rheinischer Skulptur und ihre Ausstrahlung. Düsseldorf 1972, Nr. 57. – Ausstellungskat. Rhein und Maas. Kunst und Kultur 800–1400. Köln 1972, C 16.
Inv. Nr. 3145

12 Engel von einem Heiligen Grabe

Köln, um 1170.
Pappelholz, H. 62 cm
Lit.: Th. Demmler, Großplastik, S. 5. – P. Metz, Bildwerke, Nr. 179. – Ausstellungskat. Monumenta Annonis, Köln und Siegburg, Weltbild und Kunst im hohen Mittelalter. Köln 1975, S. 216 ff.
Inv. Nr. 2969

13 Trauernde Maria von einer Triumphkreuzgruppe

Naumburg, um 1230.
Eichenholz, H. 165 cm
Lit.: A. Goldschmidt, Das Naumburger Lettnerkreuz im Kaiser-Friedrich-Museum in Berlin. In: Jahrbuch der Königlich preußischen Kunstsammlungen 36/1915, S. 137 ff. – Th. Demmler, Großplastik, S. 12. – P. Metz, Bildwerke, Nr. 181. – Zum Kruzifixus: Kat. Deutsche Bildwerke aus sieben Jahrhunderten. Berlin (Ost) 1958, Nr. 5.
Inv. Nr. 7090

14 Jesus-Johannes-Gruppe

Schwaben, um 1320.
Eichenholz, 89 × 45 cm
Lit.: H. Wentzel, Die Christus-Johannes-Gruppen des XIV. Jahrhunderts. Stuttgart 1960 (Reclam-Werkmonographien 51). – P. Metz, Bildwerke, Nr. 233. – O. von Simson, in: Propyläen Kunstgeschichte 6. Berlin 1972, Abb. XVIII.
Inv. Nr. 7950

15 Muttergottes auf dem Löwen

Salzburg, um 1370.
Zirbelkiefer, H. 48 cm
Lit.: Madonnenbilder. Bilderhefte der Staatlichen Museen Preußischer Kulturbesitz 14. Berlin 1969,

S. 16 f., Nr. III. – P. Bloch, Die Muttergottes auf dem Löwen, in: Jahrbuch der Berliner Museen N. F. 12/1970, S. 253 ff.
Inv. Nr. 1–69

16 Trauernde Frauen mit Johannes

Mittelrhein, um 1425.
Gebrannter Ton, H. 54 cm
Lit.: P. Metz, Bildwerke, Nr. 236. – A. Schädler, Zum Werk des Meisters der Lorcher Kreuztragung, in: Münchener Jahrb. der bildenden Kunst N. F. 5/1954, S. 80 ff. – Ausstellungskat. Kunst um 1400 am Mittelrhein. Ein Teil der Wirklichkeit. Frankfurt a. M. 1976, S. 82 ff., Nr. 85.
Inv. Nr. 8499

17 Schöne Madonna

Köln, um 1430.
Lindenholz, H. 91 cm (ohne die barocke Krone).
Lit.: Th. Demmler, Großplastik, S. 71 f. – P. Metz, Bildwerke, Nr. 242. – Madonnenbilder. Bilderhefte der Staatlichen Museen Preußischer Kulturbesitz 14. Berlin 1969, Nr. 14.
Inv. Nr. 7094

18 Michel Erhart (tätig 1469–1527)

Schutzmantel-Maria, 1480.
Lindenholz, H. 135 cm
Lit.: Th. Demmler, Großplastik, S. 206 f. – Madonnenbilder. Bilderhefte der Staatlichen Museen Preußischer Kulturbesitz 14. Berlin 1969, S. 20 f. – A. Broschek, Michel Erhart. Ein Beitrag zur schwäbischen Plastik der Spätgotik. Berlin u. New York 1973, S. 86 ff., Nr. 5.
Inv. Nr. 421

19 Niclaus Gerhaert von Leiden (um 1410–1473)

Muttergottes aus Dangolsheim, um 1465.
Nußbaumholz mit alter Fassung, H. 102 cm
Lit.: Th. Demmler, Großplastik, S. 143 ff. – A. Schädler, Studien zu Niclaus Gerhaert von Leiden. In: Jahrbuch der Berliner Museen N. F. 16/1974, S. 46 ff.
Inv. Nr. 7055

20 Tilman Riemenschneider (um 1460–1531)

Vier Evangelisten, 1492.
Lindenholz, H. 72–78 cm
Lit.: J. Bier, Tilman Riemenschneider. Die frühen Werke. Würzburg 1925, S. 9 ff. mit den Quellen. – Th. Demmler, Großplastik, S. 167 ff. – P. Metz, Bildwerke, Nr. 357–360. – P. Bloch, Tilman Riemen-

schneiders vier Evangelisten vom Münnerstädter Altar, Studienhefte der Skulpturengalerie I, Berlin 1974. – H. Krohm, Forschungsprojekt zum Frühwerk Tilman Riemenschneiders an der Skulpturengalerie. In: Jahrbuch Preußischer Kulturbesitz 14/1977, S. 133 ff.
Inv. Nr. 403–405

21 Hans Leinberger (nachweisbar 1513–1530)
Christus im Elend, um 1525.
Lindenholz, H. 75 cm
Lit.: Th. Demmler, Großplastik, S. 260f. – P. Metz, Bildwerke, Nr. 374.
Inv. Nr. 8347

22 Trauernde Frauen von einer Grablegung Christi
Brabant, um 1510.
Nußbaumholz, H. 105 u. 111 cm
Lit.: H. Krohm, Zwei weibliche Heiligenfiguren des frühen 16. Jahrhunderts aus Lothringen. In: Jahrbuch Preußischer Kulturbesitz 7/1969, S. 275ff. – Ders., Spätmittelalterliche Bildwerke aus Brabant. Studienhefte der Skulpturengalerie 3. Berlin 1976.
Inv. Nr. 9 und 10–69

23 Presbyter Martinus
Madonna, 1199.
Pappelholz mit ursprünglicher Fassung, H. 184 cm
Lit.: E. Carli, La scultura lignea italiana. Mailand 1960, S. 22f. – P. Metz, Bildwerke, Nr. 207. – Madonnenbilder. Bilderhefte der Staatlichen Museen Preußischer Kulturbesitz 14. Berlin 1969, S. 9 f.
Inv. Nr. 29

24 Christkind
Siena, um 1320.
Nußbaum, H. 42,2 cm
Lit.: P. Bloch, in: Jahrbuch Preußischer Kulturbesitz 5/1967, S. 258. – U. Schlegel, The christchild as devotional image in medieval Italian sculpture. In: The Art Bulletin 52/1970, S. 1ff. – Neuerwerbungen für die Sammlungen der Stiftung Preußischer Kulturbesitz in Berlin. Berlin 1976, Nr. 69.
Inv. Nr. 11–68

25 Giovanni Pisano (um 1250 – nach 1314)
Leib Christi mit Engeln, um 1300.
Marmor, 34 × 46 cm
Lit.: W. F. Volbach, Bildwerke aus Italien und Byzanz, S. 83. – P. Metz, Bildwerke, Nr. 301.
Inv. Nr. 32

26 Donatello (1386–1466)
Madonna Pazzi, um 1420.
Marmor, 74,5 × 69,5 cm
Lit.: F. Schottmüller, Bildwerke des Kaiser-Friedrich-Museums I, S. 7. – P. Metz, Bildwerke, Nr. 496.
Inv. Nr. 51

27 Mino da Fiesole (1429–1484)
Bildnisbüste des Niccolò Strozzi, 1454.
Marmor, H. 49 cm
Lit.: F. Schottmüller, Bildwerke des Kaiser-Friedrich-Museums I, S. 55 f. – P. Metz, Bildwerke, Nr. 514.
Inv. Nr. 96

28 Luca della Robbia (1399–1482)
Madonna, um 1450.
Gebrannter Ton, weiß glasiert, 58 × 44 cm
Lit.: F. Schottmüller, Bildwerke des Kaiser-Friedrich-Museums I, S. 25. – P. Metz, Bildwerke, Nr. 506. – Madonnenbilder. Bilderhefte der Staatlichen Museen Preußischer Kulturbesitz 14, Nr. 24.
Inv. Nr. M 6

29 Cosimo Tura (um 1430–1495)
Personifikation einer Tugend, um 1480.
Gebrannter Ton, H. 116 cm
Lit.: Neuerwerbungen für die Sammlungen der Stiftung Preußischer Kulturbesitz in Berlin. Berlin 1976, Nr. 70.
Inv. Nr. 9–69

30 Pier Jacopo Alari-Bonacolsi gen. Antico (um 1460–1528)
Genius der Via Trajana, um 1500.
Bronze, 18,4 × 23 cm
Lit.: P. Metz, Bildwerke, Nr. 583.
Inv. Nr. 2550

31 Flora-Büste
Umkreis des Leonardo da Vinci, um 1500.
Wachs, H. 67,5 cm
Lit.: F. Schottmüller, Bildwerke des Kaiser-Friedrich-Museums I, S. 193ff. – P. Metz, Bildwerke, Nr. 536. – K. Herding, in: Propyläen-Kunstgeschichte 8. Berlin 1970, Abb. XL.
Inv. Nr. 5951

32 Jacopo Sansovino (1486–1570)
Madonna, um 1540.
Cartapesta auf Holz, 113 × 89 cm
Lit.: F. Schottmüller, Bildwerke des Kaiser-Friedrich-Museums I, S. 181. – P. Metz, Bildwerke,

Nr. 546. – K. Herding, in: Propyläen-Kunstgeschichte 8. Berlin 1970, Abb. XLII.
Inv. Nr. 285

33 Alessandro Vittoria (1525–1608)

Büste des Ottavio Grimani, um 1571.
Marmor, H. 81 cm
Lit.: F. Schottmüller, Bildwerke des Kaiser-Friedrich-Museums I, S. 187. – P. Metz, Bildwerke, Nr. 550. – K. Herding, in: Propyläen-Kunstgeschichte 8. Berlin 1970, Abb. 225.
Inv. Nr. 303

34 Giovanni Bologna (1529–1608)

Hockender Affe, um 1570.
Bronze, H. 42 cm
Lit.: P. Metz, Bildwerke, Nr. 620. – K. Herding: in: Propyläen-Kunstgeschichte 8. Berlin 1970, Abb. 220.
Inv. Nr. 3–63

35 Gian Lorenzo Bernini (1598–1680)

Putto mit Delphin, um 1620.
Marmor, H. 44,8 cm
Lit.: U. Schlegel, Zum Œuvre des jungen Gian Lorenzo Bernini. In: Jahrbuch der Berliner Museen 9/1967, S. 274 ff. – U. Schlegel, Die italienischen Bildwerke des 17. und 18. Jahrhunderts. Berlin 1978, Nr. 3 mit der älteren Lit.
Inv. Nr. 29–76

36 Engel

Rom, 1620/30.
Kastanienholz, H. 128 cm (ohne erhobenen Arm).
Lit.: Neuerwerbungen für die Sammlungen der Stiftung Preußischer Kulturbesitz in Berlin. Berlin 1976, Nr. 74. – U. Schlegel, Die italienischen Bildwerke des 17. und 18. Jahrhunderts. Berlin 1978, Nr. 2
Inv. Nr. 34–68

37 Bernardino Cametti (1669–1736)

Diana als Jägerin, um 1720.
Marmor, 190 cm (mit Sockel 258 cm).
Lit.: P. Metz, Bildwerke, Nr. 945. – U. Schlegel, Die italienischen Bildwerke des 17. und 18. Jahrhunderts. Berlin 1978, Nr. 26.
Inv. Nr. 9–59

38 Pierre Puget (1620–1694)

Himmelfahrt Mariae, 1664/65.
Marmorrelief, 125 × 92,5 cm

Lit.: K. Herding, Ein wiedergefundenes Hauptwerk Pierre Pugets. In: Pantheon N.F. 26/1968, S. 268 ff. – Ders., Pierre Puget. Das bildnerische Werk. Berlin 1970, S. 79 ff., Nr. 30. – U. Schlegel, Die italienischen Bildwerke des 17. und 18. Jahrhunderts. Berlin 1978, Nr. 19.
Inv. Nr. 17–66

39 Joseph Anton Feuchtmayer (1696–1770)

Maria aus einer Himmelfahrt, um 1730.
Lindenholz, H. 162 cm
Lit.: Th. Demmler, Großplastik, S. 418. – P. Metz, Bildwerke, Nr. 785. – Madonnenbilder, Bilderhefte der Staatlichen Museen Preußischer Kulturbesitz 14. Berlin 1969, S. 29 f., Nr. 33.
Inv. Nr. 8391

40 Ignaz Günther (1725–1775)

Erzengel Michael, um 1750.
Lindenholz, H. 95 cm
Lit.: Th. Demmler, Großplastik, S. 412. – P. Metz, Bildwerke, Nr. 789.
Inv. Nr. 8286

41 Johann Gregor van der Schardt (um 1530 – nach 1581)

Büste des Willibald Imhoff, 1570.
Terracotta, H. 81,5 cm
Lit.: Th. Demmler, Großplastik, S. 374. – P. Metz, Bildwerke, Nr. 662. – P. Bloch, in: Propyläen-Kunstgeschichte 8. Berlin 1970, Abb. L. – Ausstellungskat. Der Mensch um 1500. Werke aus Kirchen und Kunstkammern. Skulpturengalerie Berlin 1977, Nr. 5.
Inv. Nr. 538

42 Leonhard Kern (1588–1662): Adam und Eva, 1646

Elfenbein, vollrund gearbeitet, H. 23 cm
Lit.: W. F. Volbach, Elfenbeinbildwerke, S. 60 f. – P. Metz, Bildwerke, Nr. 900. – J. Rasmussen, Ausstellungskat. Barockplastik in Norddeutschland. Hamburg 1977, Nr. 77.
Inv. Nr. 713

43 Gottfried Christian Leygebe (1630–1683)

Der Große Kurfürst als Drachenkämpfer, 1680.
Eisenguß, punziert und ziseliert, H. 27,7 cm
Lit.: E. F. Bange, Bildwerke in Bronze, S. 34. – Ausstellungskat. Barock in Deutschland, Residenzen. Berlin 1966, Nr. 88. – Ausstellungskat. Gestern

noch auf hohen Sockeln. Berliner Skulpturen des
19. Jahrhunderts. Berlin 1974, Nr. 2.
Inv. Nr. 856

44 Christoph Weyditz (um 1500–1559)

Venus, um 1550.
Bronze, feuervergoldet, H. 12,9 cm
Lit.: E. F. Bange, Eine unbekannte Bronzestatuette
von Christoph Weyditz im Deutschen Museum.
In: Berliner Museen, Berichte aus den Preußischen
Kunstsammlungen 57/1936, S. 32. – Ders., Die
deutschen Bronzestatuetten des 16. Jahrhunderts.
Berlin 1949, Nr. 143. – P. Metz, Bildwerke, Nr. 743. –
Ausstellungskat. Der Mensch um 1500. Werke aus
Kirchen und Kunstkammern. Skulpturengalerie
Berlin 1977, Nr. 22.
Inv. Nr. 8497

45 Monogrammist P. E.

Kleopatra, 1532.
Alabaster auf Schiefer, 22,4 × 15,9 cm
Lit.: E. F. Bange, Kleinplastik, S. 36f. – P. Metz, Bild-
werke, Nr. 674.
Inv. Nr. 806

46 Martin Zürn (um 1595 – nach 1665)

Heilige Sebastian und Florian, 1638–1639.
Lindenholz mit alter Fassung, H. 286 cm u. 287 cm,
Fahnen aus Kupferblech.
Lit.: P. Metz, Bildwerke, Nr. 670 u. 671. – C. Zoege
von Manteuffel, Die Bildhauerfamilie Zürn
1606–1666. Weißenhorn 1969, passim. – Ders., Die
großen Ritterheiligen von Martin Zürn. Studienhefte der Skulpturengalerie 2.
Inv. Nr. 3 und 4–58

47 Fortuna

Augsburg, um 1520.
Lindenholz, H. 55 cm
Lit.: E. F. Bange, Die Kleinplastik der deutschen
Renaissance. Florenz u. München 1928, S. 38,
Taf. 31. – P. Metz, Bildwerke, Nr. 686. – Ausstel-
lungskat. Der Mensch um 1500, Werke aus Kirchen
und Kunstkammern. Berlin 1977, S. 115 ff.
Inv. Nr. 8504

48 Artus Quellinus (1609–1668)

Simson und Delila, um 1640.
Terracotta, H. 37,5 cm
Lit.: E. F. Bange, Kleinplastik, S. 112. – P. Metz,
Bildwerke, Nr. 817. – Ausstellungskat. Europäische
Barockplastik am Niederrhein. Grupello und
seine Zeit. Düsseldorf 1971, Nr. 224 u. 245.
Inv. Nr. 545

49 Edmund Bouchardon (1698–1762)

Bildnisbüste des Barons Stosch, 1727.
Carrarischer Marmor, H. 85 cm
Lit.: P. Metz u. P. O. Rave, Eine neuerworbene
Bildnisbüste des Barons Philipp von Stosch von
Edmund Bouchardon. In: Berliner Museen N. F.
7/1957, S. 19 ff. – P. Metz, Bildwerke 1966, Nr. 921.
Inv. Nr. M 204

50 Emanuel Bardou (1744–1818)

Büste Immanuel Kant, 1798.
Marmor, H. 46 cm
Lit.: Th. Demmler, Großplastik, S. 464. – P. Metz,
Bildwerke, Nr. 799. – Ausstellungskat. Immanuel
Kant. Leben, Umwelt, Werk. Berlin 1974, S. 53. –
P. Bloch u. W. Grzimek, Das klassische Berlin. Die
Berliner Bildhauerschule im neunzehnten Jahr-
hundert. Berlin 1978, Sp. 49 ff.
Inv. Nr. 8321

51 Reinhold Begas (1831–1911)

Amor und Psyche, 1857.
Marmor, vollrund gearbeitet, 97 × 124 cm
Lit.: A. G. Meyer, Reinhold Begas. Bielefeld u. Leip-
zig 1901, S. 14f. – P. Bloch, Amor und Psyche. Ein
Frühwerk von Reinhold Begas, in: Anzeigen des
Germanischen Nationalmuseum 1973, S. 136 ff. –
P. Bloch u. W. Grzimek, Das klassische Berlin. Die
Berliner Bildhauerschule im neunzehnten Jahr-
hundert. Berlin 1978, Sp. 101 ff.
Inv. Nr. 15–71

52 Albert-Ernest Carrier-Belleuse (1824–1887)

Confidence, 1865/70.
Marmor, 66,5 × 46 cm
Lit.: J. E. Hargrove, The Life and Work of Albert
Carrier-Belleuse. New York u. London 1977,
S. 247, Abb. 229 (Terracotta in Londoner Privat-
besitz). – B. Lepper, Werke von Carrier-Belleuse in
Berlin (in Vorbereitung).
Inv. Nr. 9–76

53 August Kraus (1868–1934)

Römisches Mädchen auf dem Korso, 1904.
Bronze, H. 50 cm
Lit.: P. Bloch, August Kraus: Schreitende Römerin.
In: Anzeiger des Germanischen Nationalmuseums
1975, S. 128 ff. – P. Bloch u. W. Grzimek, Das klassi-
sche Berlin. Die Berliner Bildhauerschule im
neunzehnten Jahrhundert. Berlin 1978, Sp. 320 ff.
Inv. Nr. 1–74

Literatur

Staatliche Museen zu Berlin

Bildwerke des Kaiser-Friedrich-Museums
W. F. Volbach: Mittelalterliche Bildwerke aus Italien und Byzanz, 2. Aufl. Berlin u. Leipzig 1930
Frida Schottmüller: Die italienischen und spanischen Bildwerke der Renaissance und des Barock I: Die Bildwerke in Stein, Holz, Ton und Wachs. 2. Aufl. Berlin u. Leipzig 1933

Die Bildwerke des Deutschen Museums
W. F. Volbach: Die Elfenbeinbildwerke. Berlin u. Leipzig 1923
E. F. Bange: Die Bildwerke in Bronze und anderen Metallen ... Berlin u. Leipzig 1923
Th. Demmler: Die Bildwerke in Holz, Stein und Ton: Großplastik. Berlin u. Leipzig 1930
E. F. Bange: Die Bildwerke in Holz, Stein und Ton: Kleinplastik. Berlin u. Leipzig 1930

Stiftung Preußischer Kulturbesitz
P. Metz: Bildwerke der christlichen Epochen von der Spätantike bis zum Klassizismus. München 1966
Ursula Schlegel: Die Bildwerke der Skulpturengalerie I: Die italienischen Bildwerke des 17. und 18. Jahrhunderts. Berlin 1978

P. Bloch: Bilderhefte der Staatlichen Museen Preußischer Kulturbesitz 14: Madonnenbilder. Vierzig Denkmäler der Skulpturenabteilung. Berlin 1969

V. H. Elbern: Bilderhefte der Staatlichen Museen Preußischer Kulturbesitz 34/35: Das Ikonenkabinett der Frühchristlich-Byzantinischen Sammlung. Berlin 1979

Studienhefte der Skulpturengalerie
1. *P. Bloch:* Tilman Riemenschneiders vier Evangelisten vom Münnerstädter Altar. Berlin 1974
2. *C. Zoege von Manteuffel:* Die großen Ritterheiligen von Martin Zürn. Berlin 1974
3. *H. Krohm:* Spätmittelalterliche Bildwerke aus Brabant – Figuren heiliger Frauen von einer Grablegung Christi. Berlin 1976
4. *P. Bloch:* Goethe und die Berliner Bildhauerkunst. Berlin 1976

Informationen für Lehrer und Schüler
Das Bild der Welt um 1500
A Kunstwerke und fromme Leute
1. *Margret Homann:* Schutzmantelmaria. Berlin 1977
2. *Margret Homann:* Muttergottes. Berlin 1979
B. Kunstkammer
1. *U. Bischoff:* Patrizierbüsten. Berlin 1979

Ausstellungskatalog: Der Mensch um 1500. Werke aus Kirchen und Kunstkammern. Berlin 1977

Kaiser-Friedrich-Museums-Verein Berlin
Erwerbungen 1897–1972. Berlin 1972

Standorte der Staatlichen Museen Preußischer Kulturbesitz in Berlin:

Dahlem
Bus 1, 10, 68, U-Bahnhof Dahlem-Dorf

Eingang Lansstraße 8
Museum für Indische Kunst
Museum für Völkerkunde
  Abteilung Amerikanische Archäologie,
  Südsee, Afrika, Südasien, Ostasien
Museum für Islamische Kunst
Museum für Ostasiatische Kunst
**Skulpturengalerie mit Frühchristlich-
Byzantinischer Sammlung**

Eingang Arnimallee 23/27
Gemäldegalerie
Kupferstichkabinett

Im Winkel 6/8 (Ecke Archivstraße)
Museum für Deutsche Volkskunde

Tiergarten
Bus 24, 29, 48, 75, 83,
U-Bahnhof Kurfürstenstraße

Potsdamer Straße 50
Nationalgalerie

Charlottenburg (Schloß)
Bus 21, 54, 55, 62, 74, 86, 89,
U-Bahnhof Richard-Wagner-Platz

Schloß Charlottenburg, Westflügel
(Langhansbau)
Museum für Vor- und Frühgeschichte

Schloß Charlottenburg, Ostflügel
(Knobelsdorff-Flügel)
Kunstgewerbemuseum

Schloßstraße 70, gegenüber dem Schloß
Ägyptisches Museum

Schloßstraße 1, gegenüber dem Schloß
Antikenmuseum

Jebensstraße 2 (Nähe Bahnhof Zoo)
**Kunstbibliothek mit Museum für
Architektur, Modebild und Grafik-Design**

Organisation: Angela Schneider